[英国] 柯南·道尔 著
喵博士 改编

大侦探福尔摩斯
SHERLOCK HOLMES

冒险史

译林出版社

人物档案

华生

华生——医生，伦敦大学医学博士，福尔摩斯的最佳拍档。他用心记录下福尔摩斯精彩的破案过程，并公之于世。

福尔摩斯

福尔摩斯——闻名世界的大侦探，居住在英国伦敦的贝克街221B。他善于通过观察和推理来寻找事件的真相，破案时有如神助，总是能洞察一切。

艾琳

艾琳——华沙歌剧院首席女歌手。她聪明过人，美貌绝伦，对爱情非常执着，凭借自己的智慧让福尔摩斯另眼相看。

奥彭肖

奥彭肖——住在英国乡下的一个年轻人。他的伯父和父亲相继意外身亡，临死前都收到了一封装有五个橘核的信。如今，奥彭肖也收到了同样的信，他正面临着可怕的危机。

圣克莱尔先生

圣克莱尔先生——一位富有的绅士，家庭幸福美满，却在伦敦城内的一条小巷里神秘失踪了。失踪之前，他的妻子曾目击他在一扇窗前疯狂招手。

海伦

海伦——一位年轻的女士，她和继父一起住在乡下的老宅子里。她的姐姐两年前在婚礼前夕离奇死亡，如今，她也和姐姐死前一样，听到了恐怖的口哨声。

目录

SHERLOCK HOLMES

Sherlock Holmes

波希米亚传闻

一位神秘客人来访，打破了贝克街夜晚的宁静。这位来客身份尊贵。他衣着华丽，脸上却戴着一张黑色的面具。他为什么要隐藏身份，身上又藏着什么不可告人的秘密？让人意想不到的是，他向福尔摩斯求助的事，竟然是一个关系到两个国家的隐秘丑闻……

1888 年的一天晚上，华生路过一条熟悉的街道——贝克街。他抬起头，望向一扇亮着灯的窗户。窗帘上映出了福尔摩斯瘦高的身影。福尔摩斯低垂着头，背着双手不停地来回走动。华生对他这样的举止太熟悉了。“看来大侦探又碰上**棘手的案件**了，我正好上去听听！”华生一边想着，一边按响了门铃。

门开了。“哦，是你呀，医生！”福尔摩斯亲切地把华生迎了进来。华生结婚后，搬出了贝克街 221B 的公寓，之后他和福尔摩斯就很少有机会见面。福尔摩斯指着一把扶手椅让华生坐下，又递了一支雪茄过来，说：“医生，你结婚后过得很好嘛。从我们上次见面到现在，我想你应该又重了七斤多。”

“差不多吧！”华生心里暗暗佩服，“这家伙居然连我长了几斤肉都能看出来。”

福尔摩斯笑着问：“看你的样子，又开始**行医**啦？”

“啊？你怎么知道？”

“当然是见到你以后**推理**出来的，哈哈。如果我没猜错的话，最近你经常淋雨。还有，你家里的女仆实在不怎么样啊。”

华生吃惊得连雪茄都差点掉了，他忍不住赞叹起来：“我的大侦探，这么久没见，你真是越来越厉害了！你说的这些都没错，但你是怎么看出来的呀？”

福尔摩斯搓着他那双细长的手，昂起下巴笑了笑，说：“这些本来就不难。你左脚那只鞋的内侧下方，有几道平行的划痕。很明显，这并不是走路时无意中蹭到的。我猜，你家有位**粗心大意**的女仆，是她用刮泥板刮鞋底的烂泥时，留下的这些划痕。至于淋雨的事嘛，你想啊，好好的鞋子为什么会沾上泥呢？当然是下雨天穿出去过。”

华生两眼发光地说：“你说的一点儿没错。那你又怎么会知道我开始行医了呢？”

“呵呵，这个嘛，到处都是**线索**。你身上有医生常有的碘酒气味；右手食指有上药留下的黑色斑点；还有啊，你的大礼帽右侧面鼓起了一块，我猜，你在那里藏过听诊器吧？怎么样，我的推理有什么问题吗？”

华生不好意思地笑了起来：“嘿嘿，听你一说，所有的事情都显得那么简单。但我自己怎么就想不到呢？”

“医生，那是因为你只是在看，而我是在**观察**。”福尔摩斯笑着站了起来，从桌上拿起一张粉红色的纸条扔给华生说，“对了，医生，看看这个，也许你会感兴趣的。”

华生接过纸条，只见上面写着：

> 今晚七时四十五分，有位先生要来拜访您，他有非常重要的事情想跟您商量。希望到时您不要外出。如果来访者戴着面具，也请您不要见怪。

华生有些纳闷。这张纸条既没有署名，也没有写日期，神神秘秘的。福尔摩斯问道：“医生，你从这张纸条上能看出什么吗？”

华生把纸条**翻来覆去**地仔细看了看，说：“这种纸既结实又挺括，应该很贵吧？写这纸条的人或许很有钱……”

“嗯，是很结实。”福尔摩斯点头表示赞同，然后提示道，“其实，这种纸不是英国产的。你把它举起来，对着光看看。”

华生对着灯光举起了纸条，他发现纸的纹理中印着一些字母。“嗯？这些字母代表什么？”华生问。

福尔摩斯舒展地靠在沙发上，说：“根据这些字母，我们可以推理出，这张纸产自一个叫**波希米亚**的国家。”

“哦？这么说，要见你的神秘人是从波希米亚来的？”

“没错。”福尔摩斯点了点头说。

话音刚落，门外响起了一阵清脆的马蹄声。紧接着，门铃响了：**丁零丁零**——

“请进。”福尔摩斯的话音刚落，一个大高个儿走了进来。他的衣着十分华丽，袖子和上衣开叉处镶着羊羔皮的边，肩上披着深蓝色的披风，露出猩红色的丝绸衬里，领口还别着一枚闪闪发亮的绿宝石胸针。再看看他的脚，脚上穿着一双高到小腿肚的皮靴，靴口上镶着深棕色的皮毛。嗬！这身打扮可真是富贵极了，但透露出一股庸俗的气息。

更奇怪的是，他脸上戴着**黑色的面具**，只露出眼睛和下半张脸，厚厚的嘴唇往下垂着，长长的下巴带着一股倔强的劲头。

“请问，哪位是福尔摩斯先生？”神秘人的声音低沉沙哑，眼神在福尔摩斯和华生之间游离不定。

福尔摩斯大方地回答：“是我。这位是我的助手华生。”

“您好！我……我来自波希米亚。我……我是一位伯爵。”神秘人迟疑地扫了华生一眼，又转向福尔摩斯。“先生，我接下来要说的是一个**重大的秘密**，足以影响整个欧洲。最好……最好是能和您单独谈谈。”

福尔摩斯坚定地对神秘人说：“在我的助手面前，您什么都可以说。”

神秘人不再坚持。他耸了耸宽阔的肩膀，在椅子上坐了下来。他缓缓地开口说道：“不瞒您说，这件事牵涉到波希米亚国王，如果处理不好，可能会变成一个大丑闻。”

“这我知道。”

神秘人惊讶地瞪大了眼睛。福尔摩斯不耐烦地叹了一口气，说：“唉！说实话，要是**国王陛下**您能放下身段把案情说清楚，那我就能更好地为您效劳。”

神秘人腾地站了起来，激动地在屋子里踱来踱去。突然，他猛地扯掉脸上的**面具**，狠狠地摔在地上，说：“我就知道，伪装身份一点儿用也没有！”

福尔摩斯淡淡地说："国王，请您冷静一点儿，把案子的来龙去脉说清楚吧。"

过了好一会儿，国王终于平复心情，重新坐回椅子上，叹了一口气，说："唉！事情是这样的：大约五年前，我在国外认识了一位大名鼎鼎的**女冒险家**艾琳，不知道你有没有听过这个名字？"

福尔摩斯立刻转头吩咐华生："去资料簿里查查艾琳这个名字。"福尔摩斯有个习惯：随时把重要的人和事的资料收集起来，贴上标签。这样，需要的时候就可以快速查到。果然，华生很快就找到了艾琳的资料。

福尔摩斯**迫不及待**地接过资料并浏览了起来，嘴里喃喃自语："艾琳，华沙歌剧院首席女歌手。她住在伦敦。哦，国王，您和这位叫艾琳的小姐究竟有什么牵连呢？"

"唉，其实……我和艾琳曾经是恋人，但我没法娶她，因为……因为她的身份跟我不相配，她不是王室成员。现在，我有件麻烦事，艾琳手里……有一张跟我的**合影**。她曾经威胁我说，如果我和别人结婚，她就会把合影寄给对方。"

福尔摩斯若有所思地看着国王。"所以，您现在要结婚了，是吗？"福尔摩斯问道。

国王表情复杂地点了点头，说：“我要和另一个国家的公主结婚了。这门婚事对两国都很重要，我不能让艾琳毁了它。”

“那么，您必须从艾琳手里夺回这张合影咯！”

国王无奈地挠挠头，说：“一开始，我想花钱赎回照片，可不管我出多高的价，她都坚持不卖。”

福尔摩斯挑了挑眉，说：“那您后来用了不正当的手段吧？”

“什么手段我都试过了……”国王看上去有些尴尬，“有两次，我雇小偷搜遍了她的房子。还有一次，我派人在她旅行时偷走了她的行李。后来我甚至……甚至派人假装强盗，把她拦下来搜身。可还是**一无所获**！”

福尔摩斯稍微有些意外：“您就一点儿线索都没找到？”

“没有！艾琳这个铁石心肠的女人，她把照片藏得那么严实，就是要用它毁掉我的名声。唉！虽然我背叛了她的感情，但我和她身份悬殊，那也是没办法的事情呀。”国王说着，忍不住站了起来，焦躁地走来走去，“我已经没时间再等了！下周一就是公布婚约的日子。艾琳说过，她会在我公开宣布婚约的那天，把照片送出去。”

福尔摩斯坐直了身体，说：“那咱们还有三天时间。放心吧，陛下，不管这位艾琳小姐有多狡猾，我都保证会给您带来好消息。”

国王激动地握住福尔摩斯的手，说：“只要能拿回照片，我就送给你一个省！”福尔摩斯笑了起来，国王又连忙把手伸进宽大的披风下，取出了一个羊皮袋。“这里面的金币和钞票，加起来有一千英镑，全都给你！”国王说。

华生在一旁听得目瞪口呆。这可是一笔巨款哪！

福尔摩斯却不以为意地耸了耸肩，说：“把艾琳的地址告诉我吧！”

“哦，就在蛇形大街的这个位置……”国王详细地说了地址，接着便匆匆告辞了。

楼下响起了皇家四轮马车咔嗒咔嗒的声音。福尔摩斯精神振奋地对华生说：“明天下午三点再过来这里一趟吧，我们讨论一下案情。你愿意吗？”华生点点头，说：“非常愿意！”

第二天下午三点，华生准时来到了贝克街的公寓，却没有见到福尔摩斯的人影。

四点左右，公寓的门开了，一个马车夫冒冒失失地闯了进来。他看起来邋邋遢遢，脸上留着络腮胡子，面红耳赤，衣服也破烂不堪。华生还没回过神来，那人狡黠地冲华生笑了笑，径直闪身进了卧室。

只一会儿的工夫，福尔摩斯已经换好整洁的衣衫，**风度翩翩**地回到了华生面前。果然，刚才那位马车夫，就是福尔摩斯假扮的。“哈哈哈哈，医生，你绝对不会相信的！你猜我这一上午都看到了什么？”福尔摩斯笑着说。

华生大胆猜测道：“你去**跟踪**艾琳小姐了。”

“没错，但最后发生的事可太意外了，哈哈哈。”福尔摩斯大笑不已。他点燃一支雪茄，迫不及待地说起了今天的经历。

早上八点多，福尔摩斯假扮成马车夫，找到了艾琳小姐的别墅。别墅后面有一排马房，好几个马车夫在那里梳洗马匹。福尔摩斯混了进去，跟着大家一起洗洗刷刷，很快就打探到了不少消息。

据那些马车夫说，这位艾琳小姐确实是**歌剧院女歌手**。她过着宁静而有规律的生活，除了去音乐会表演，很少外出参加活动。但她每天傍晚五点会去公园散步，晚上七点准时回家吃饭。她长得太美了，整条街的男士都仰慕她。对了，她跟一个男人关系非常密切，那人每天都会来看望她。至于那个男人嘛，马车夫们也都非常熟悉。他是一位律师，名叫诺顿，皮肤黝黑，长得十分英俊。

福尔摩斯**津津有味**地听完了马车夫们的谈论，大脑飞快地转动着："律师诺顿，是艾琳聘请的律师，还是艾琳的恋人？如果是恋人的话，艾琳应该不会把照片交给他。如果是她请的律师，嗯，照片倒是有可能委托律师保管了。我到底是应该跟踪艾琳，还是跟踪诺顿呢？"

正在福尔摩斯左右为难的时候，突然，他看到一辆双轮马车停在了艾琳的别墅门前。车里跳出一位英俊的绅士，他皮肤黝黑，留着小胡子。显然，他就是马车夫们所说的律师诺顿。这会儿他一副**十万火急**的样子，大声吆喝着让马车夫等他，然后快步走进了客厅。

透过客厅的窗户，福尔摩斯隐隐约约看到诺顿在屋里踱来踱去，挥舞着双臂兴奋地说着什么。大约半小时后，他匆匆走了出来，急切地对马车夫大喊："快，到圣莫尼卡教堂，要是你能在二十分钟内赶到，我就多赏你点儿钱。"

马车飞奔而去。福尔摩斯正犹豫着该不该跟上，巷子里又驶来了一辆小巧雅致的马车。车还没停稳，一位女士就从别墅里飞奔出来，一头钻了进去。在这短短的瞬间，福尔摩斯发现艾琳真是美得**无与伦比**，足以让任何男人神魂颠倒。

马车里传来艾琳的喊声："快，去圣莫尼卡教堂！要是你能在二十分钟内赶到的话，我就赏你半个金币。"

嗯？怎么回事？福尔摩斯顾不得多想，连忙也拦下一辆马车，说："快，去圣莫尼卡教堂！要是你能在二十分钟内赶到，我就赏你半个金币。"

福尔摩斯从来没有坐过这么快的马车。当他赶到教堂门口时，另外两辆马车已经停在那里，马儿大口大口地喘着粗气。福尔摩斯匆忙跳下马车走进教堂，远远就看见艾琳和诺顿着急地站在里面，搓着手跺着脚，好像遇到了什么**麻烦事**。他们俩的身边，站着一位身穿白色长袍的牧师。

突然，他们俩注意到了走进来的福尔摩斯。诺顿惊喜地冲上前来，热情地握住福尔摩斯的手，大喊："谢天谢地！老兄，帮个忙，只要三分钟就行，要不然就不合法了！"说完，他拉着福尔摩斯就往里走。

华生听福尔摩斯讲到这里，惊讶得瞪大了眼睛。"他们是赶到教堂去结婚吗？”华生问。

福尔摩斯笑眯眯地点了点头，说：“你知道，婚礼得在中午十二点前举行。那会儿离十二点只差三分钟了！但是，他们还缺一位**证婚人**。没有证婚人，婚礼是不合法的。所以……”

华生张大嘴巴，半天才结结巴巴地问：“所……所以，你**莫名其妙**地当了他们俩的……证婚人？”

“医生，这真是我这辈子遇到过的最荒谬绝伦的场面了，哈哈哈哈。”说到这里，福尔摩斯又放声大笑起来。

“那后来呢？”

“后来，他们俩在教堂门口分开，各自回家了。”福尔摩斯的神情突然严肃了起来，“现在我们得抓紧时间了。艾琳和诺顿结婚之后，可能很快就会**离开英国**。我们必须赶在他们俩离开之前拿到那张合影。”

“那你打算怎么办？”

福尔摩斯狡黠地笑了一下，说：“这一回，医生，我需要你帮一点儿小忙。”

华生毫不犹豫地点了点头。福尔摩斯像变魔术似的从口袋里掏出了一样东西，说：“你看，这是一个**烟雾筒**。一会儿可能会发生些**非同寻常**的状况，你千万别出手。到时候，我会被抬进艾琳家里，你就在窗户外面等着，看到我举起手——”福尔摩斯举起右手示范了一下。“像这样，你把盖子打开，把烟雾筒扔进艾琳家里，然后大喊：‘着火啦，着火啦。’”

华生惊叫道：“不会真的着火吧？”福尔摩斯拍了拍他的肩膀，说：“放心吧，它只会冒烟，绝对安全！相信我，华生。”福尔摩斯信心满满地笑了，然后他走进了卧室。等他再出来的时候，他已经装扮成了一位**和蔼可亲**的老牧师。

时间很快到了晚上七点。艾琳跟往常一样，乘坐马车从公园回到了别墅门前。马车还没停稳，一个流浪汉突然冲上前去拉开车门：“小姐，我扶您下车！赏点儿钱吧！”这时，另一个流浪汉也大声嚷着冲了上去：“小姐，我来扶您！”两人推推搡搡，扭打在了一起。周围的人呼啦啦地围过来劝架，没想到，有些人一言不合便动起手来。现场顿时**一片混乱**。

早已守在别墅附近的华生，被眼前的场景吓得心惊肉跳。装扮成牧师样子的福尔摩斯突然冲进了人群，看样子，他是想过去保护刚下车的艾琳。可他刚走到艾琳身边，就大叫一声倒在了地上，脸上不知什么时候沾满了鲜血。“出人命啦！出人命啦！”人群中有人大声喊起来！

打架的人一哄而散，其他热心人则围上前去查看福尔摩斯的伤情。华生也想冲上去帮忙，可他突然想起，福尔摩斯叮嘱过，让他**千万不要出手**。

这时，被围困半天的艾琳终于摆脱了混乱的人群，慌慌张张地向别墅大门跑去。跑到门口，她突然回过头来，担忧地问道：“老牧师怎么样了？伤得重不重？”守着福尔摩斯的人你一言我一语地回答："受了重伤，但是还活着！""刚才他可真是勇敢！要不是他的话，那些流浪汉早就把小姐的钱包抢走了！""可不能让他躺在街上啦！小姐，我们可以把他抬进您屋里休息吗？"

艾琳毫不迟疑地回答："当然可以，把他抬到客厅的沙发上吧。"

大家**手忙脚乱**地把满脸是血的福尔摩斯抬进了客厅，艾琳跟在一旁照顾他。她姿态优美，温柔亲切，华生在窗外看得一阵愣神，心想："我们帮国王对付这位优雅的女士真的合适吗？"

这时，躺在沙发上的福尔摩斯突然张大了嘴，一副喘不上气来的样子。女仆赶紧打开窗户让他透气。华生回过神来，看到福尔摩斯举起了右手，这是他们俩事先约定的信号。华生赶紧把烟雾筒从窗户扔了进去，并高声大喊："着火啦，着火啦！"

客厅里顿时**浓烟滚滚**，大家争先恐后地向外逃去。不一会儿，福尔摩斯虚弱的声音从烟雾中传来："大家别慌……没有着火……一场虚惊。"

华生趁着大家没注意，神不知鬼不觉地逃离了现场。没过多久，福尔摩斯笑容满面地赶来和他会合。“医生，你干得真漂亮，一切顺利！”

“你拿到那张合影了？”

“还没有，但我已经知道照片在哪里了。”福尔摩斯的眼里闪着得意的光芒。

华生一脸惊愕。福尔摩斯大笑起来：“哈哈哈哈，刚才街上的那群人，都是我雇的**临时演员**！怎么样，这出戏演得不错吧？我就知道，艾琳肯定不会拒绝把我抬进屋里的。”

“可是，你怎么能确定照片在屋里，而不在艾琳身上呢？”

“我跟国王确认过，那张照片尺寸很大，不可能随身携带。”

“那照片究竟在哪里呢？”

福尔摩斯抬了抬下巴，说：“就在艾琳家的客厅里！你想想看，正常情况下，当有人发现家里着火后，是不是会第一时间抢救他认为最重要的东西？刚才，艾琳看到客厅里浓烟滚滚，立刻冲向墙上的一块**活动嵌板**。她能躲过国王那么多次搜查，必然是一位极其聪明的女士，可再聪明的人，慌乱中也会露馅的。我看见她把照片抽出来了，但听到我说‘一场虚惊’之后，又飞快地把照片放了回去。”

华生激动地问：“那你没有把照片取走吗？”

福尔摩斯摇了摇头，说：“我本来是想这么干的，但有个马车夫进来了，他一直**盯着**我，我实在是找不到机会下手。

不过不要紧，那已经是**囊中之物**！我们给国王发一封电报吧，邀请他明天早上八点一块儿去取。那时候，艾琳女士肯定还没起床呢。”

发完电报后，福尔摩斯和华生回到了贝克街。当福尔摩斯掏出钥匙准备开门时，有个路过的行人跟他打了声招呼：“福尔摩斯先生，晚安！”等他和华生抬头看时，那个人已经匆匆离开了。

“这声音有点儿耳熟。”福尔摩斯皱着眉头，看了看那个背影，疑惑地说，“可我想不起来是谁了。”

第二天早晨，福尔摩斯、华生和国王一起来到了艾琳家。让他们惊讶的是，别墅的大门敞开着，一位女仆似乎正在等他们。“请问，谁是福尔摩斯先生？”女仆问。

福尔摩斯有了**不祥的预感**。“我就是。”他答道。

“你果然来了。夫人让我告诉你，她已经乘坐五点十五分的火车去了欧洲，再也不会回来了。”

“什么！”福尔摩斯震惊得打了个趔趄，差点儿摔倒。国王绝望地问道：“那照片呢？也被带走了吗？这下全完了！”

福尔摩斯一把推开女仆，冲进客厅。他掀开那块活动嵌板，从里面掏出了一张照片，还有一封信。可照片并不是合影，只是艾琳的一张**单人照**。那封信是这样写的：

亲爱的福尔摩斯先生：

您确实干得非常漂亮，险些就彻底骗过了我。其实，几个月前，就有人警告过我要提防您了。他们说，如果国王要雇用一名侦探来对付我的话，那一定是您。尽管这样，我还是大意了，因为我很难相信那么一位上了年纪、和蔼可亲的牧师会怀有恶意。后来，当我发觉自己已经主动暴露了合影的位置时，我就派了一个马车夫来监视您，并且我还跟踪您，一直跟到了贝克街。还记得昨晚有人在您家门口跟您说“晚安”吗？那个人就是我。

我和我的丈夫都认为，既然已经被一名侦探盯上了，那还是走为上计。因此，当您看到这封信的时候，我早已离开伦敦了。至于那张照片，请您让国王尽管放心，我已经爱上了一个比他更好的人，而这个人也很爱我。我把合影带走，不是为了威胁国王，只是为了保护自己。我留给国王一张我自己的照片，或许他愿意收藏。最后，谨向亲爱的福尔摩斯先生致意。

艾琳

看完信后，国王忍不住喊道："多了不起的女人啊！机敏果断。可惜她不是王室的成员，和我的身份不般配，不然她一定会成为一位令人钦佩的王后！"

"您和那位女士确实很不般配，除了身份，在其他方面也是如此。"福尔摩斯略带讽刺地说道，"没能帮您拿回那张照片，实在抱歉。"

国王摇了摇头，说："不必道歉，福尔摩斯先生。那张照片现在已经不是威胁了，我知道她会说话算话的。"

"那就再好不过了，国王陛下。"

"这件事多亏有你帮忙，福尔摩斯先生，我真不知道怎样报答你才好……这样吧，"国王从手上摘下一枚绿宝石戒指，递给福尔摩斯说，"我就用这枚戒指作为谢礼，你看怎么样？"

然而，福尔摩斯对绿宝石戒指根本不屑一顾："国王陛下，在我看来，有一样东西比您的戒指更加宝贵。"

"什么东西？"

福尔摩斯拿起了艾琳的照片，说："就是这张单人照。国王陛下，如果您愿意，我想保留这张照片，作为这个案件的纪念品。"

"当然没问题。"国王爽快地点了点头。然后，福尔摩斯冷淡地转过身去，和华生一起回家了。相比庸俗的国王，显然，福尔摩斯更喜欢艾琳女士。她不但拥有惊人的美貌，而且用自己的聪明才智打败了福尔摩斯。同时，她拥有寻找真爱的勇气，懂得保护自己，对国王也相当宽容大度。

福尔摩斯以前总爱嘲笑女人，对她们的才智**嗤之以鼻**。但自从经历这个案件之后，华生就再也没听他这么嘲笑了。华生猜想，福尔摩斯心里对艾琳一定是既欣赏又敬佩。后来，每次福尔摩斯说到艾琳或者提到她的照片时，总是用“**那位女士**”这样特别的称呼。

Sherlock Holmes

红发协会

神秘组织红发协会发出了一则奇怪的招聘广告，只要是红头发的男人，就有资格申请这个职位，薪水高达每周四英镑。当铺老板威尔逊应聘成功，可接下来，这份待遇优厚的工作却让他遭遇了一系列怪事……

秋季的一天，华生去贝克街拜访老朋友福尔摩斯。刚跨进房门，华生就发现他的侦探朋友正和一位老先生在谈话。老先生矮矮胖胖的，长着一头**火红的头发**。

福尔摩斯看到华生来了，热情洋溢地说："华生，你来得正好！这位是威尔逊先生，他刚刚讲了一件非常精彩的事。先生，你能给我的朋友也讲一遍吗？尽量说得详细些。"

老先生一听这话，立刻就从大衣口袋里掏出一张皱巴巴的报纸，平铺在膝盖上，眯着眼睛找什么内容。

华生对这位老先生上下打量了一番，想学着使用福尔摩斯的**观察法**，来判断这个人的身份和经历。福尔摩斯看他皱着眉头一筹莫展的样子，呵呵一笑："威尔逊先生之前干过一段时间的体力活。他去过中国，最近还写过不少东西。"

"啊？你在说什么！"威尔逊猛地转过头来，惊讶地看着福尔摩斯说，"我的天哪！福尔摩斯先生，你怎么会知道这些？没错，我以前在船上当过木匠。"

"这很简单。"福尔摩斯的眉毛轻轻一扬，"先生，看你的双手，右手比左手大多了。你一定经常用右手干力气活吧？所以你右手的肌肉比左手发达。"

威尔逊低头仔细对比自己的双手，惊讶地说："嘿，还真是这样！可你又怎么会知道我最近写了很多字呢？"

"你右臂的袖子上有个地方磨得发亮，还有，你左臂的肘关节那里打了块补丁。衣服上的这种磨损十有八九是写字写多了造成的。"

"那我去过中国的事呢？"老先生还没从震惊中回过神来。

福尔摩斯**慢条斯理**地说："你右手的手腕上有一条鱼的

文身，大大小小的鱼鳞都文上了粉红色的颜料。据我所知，只有中国才有这种文身。而且，你的表链上还挂着一枚中国钱币哪。”

威尔逊又低头看了看自己的表链，忍不住大笑起来：“妙！真是太妙了！我差点儿以为你是天神降世了。噢！我找到那则广告了！”威尔逊伸手指了指报纸上的广告栏，说：“你们看，这就是那个离奇事件的起因。”

华生拿过报纸一看，原来是一则**招聘广告**，出自一个叫**红发协会**的组织。它的招聘要求也太奇怪了吧！只要是红头发的男人，就有资格申请这个职位，而且薪水可不少啊，每周给四英镑！

华生惊讶地瞪大了眼睛，问：“这究竟是怎么回事？”

威尔逊解释道：“事情是这样的。我开了个**当铺**，但生意越来越不好做。以前我还有能力雇两个伙计，可现在只能雇一个了。”威尔逊苦笑了一下，接着说：“其实，就算一个我也雇不起。幸好这个伙计一心想在我这里学本事，愿意只拿一半的工资。”

福尔摩斯挑了挑眉，问：“哦？还有这种好事？这个伙计平时有没有什么……怪毛病？”

威尔逊歪着头想了一会儿，说：“这个嘛……他挺聪明能干的。对了，有一件怪事，他喜欢**拍照**，总爱拿着相机到处乱拍，拍完马上跑去地下室冲洗，快得跟兔子钻洞似的。”

福尔摩斯若有所思地点了点头，说：“哦，这样……我知道了。你说的怪事，发生在什么时候？”

“两个月前。”威尔逊眯着眼睛回忆起当时的场景。

两个月前，威尔逊雇的这个伙计拿了张报纸走进门，不停地抱怨道：“哎呀，真是气死了，我要是那个红头发的人该多好啊！”

威尔逊被弄糊涂了，问道：“你在说什么啊？”

伙计看着老板，突然大叫起来：“哎呀，先生，您的头发就是红的呀！您为什么不去申请那个**肥差**？”

伙计激动地指着报纸上的一则广告，说：“您看，有个**红发协会**刊登了招聘广告。听说，红发协会的发起人是个美国的百万富翁。他自己的头发是红的，所以特别关照红头发的人。天哪，他真是太慷慨了！”

威尔逊苦笑了一声，摇了摇头，说：“就算有这种好事，也轮不到我吧，肯定会有成百上千个长着红头发的人去申请。”

伙计却信心十足地鼓励他："先生，我听说，他们要招聘的人，头发必须是火红火红的，其他的红色都不行！这不就是说您嘛！"

"哦？"威尔逊照了照镜子。镜子里，他的头发颜色鲜红，像一团燃烧的**火焰**。"要不，我去碰碰运气？"威尔逊说。

第二天，威尔逊在伙计的陪同下去找招聘的地方。还没到目的地，威尔逊就已经被眼前的阵仗吓坏了。大街上挤满了长着红头发的人，远远看去就像是卖水果的小贩推的柑橘车。橘红色、砖红色、棕红色……不过，鲜艳的火红色倒是不多。

看到有这么多人来应聘，威尔逊又想打退堂鼓。热心的伙计不停地给他打气，连拉带拽地把他带到正在招聘的办公室门前。

办公室里坐着一个小个子男人，他头发的颜色比威尔逊的还要红。他抬头看着一个个应聘者，失望得连连摇头。他看到威尔逊时，突然后退了一步，歪着脑袋盯着他的头发看了半天，接着大步走上前，紧紧握住威尔逊的手，激动地说："先生，**就是你了**！你头发的颜色多像一团火啊！恭喜你，你被录用了！"

威尔逊愣住了。这个男人又说："我叫罗斯，是红发协会的一员。你的工作时间是每天上午十点到下午两点。请问你什么时候可以来上班？"

威尔逊有点儿为难地说："这个时间啊……嗯……其实我自己还有一个店铺……"

一旁的伙计怕老板丢了这么好的机会，便**自告奋勇**地说："先生，店铺我可以帮忙照看啊，您就放心吧。"

威尔逊感激地看了他一眼，说："那好。罗斯先生，我明天就可以过来上班。"

罗斯似乎**松了一口气**，说："哦，有一件事我必须提醒你。在上班时间，不管出于何种理由，你都不能走出这栋楼半步。只要违规一次，那就等于是永远放弃了这个职位。"

威尔逊拍了拍胸脯，信誓旦旦地说："总共就四个小时，我决不会离开半步的。"

不过，当威尔逊接到任务时，他却呆住了。这份每周四英镑的工作，居然只是坐在办公室里**抄词典**。"抄词典有什么用？我不会是被骗了吧？"威尔逊担心地问。他的伙计却不以为然地说："先生，您去试试不就知道了嘛，他们能骗您什么呢？"

威尔逊理不出个头绪，第二天还是带着纸和笔去了办公室。没想到，接下来的那段时间，一切都非常顺利。每个星期六，他都能准时拿到一周的报酬。就这样过了八个星期，他在办公室里抄写的本子几乎堆满了一个架子。

然而，就在这天早上，美好的日子突然宣告结束。早上十点，威尔逊照常去上班，奇怪的事情发生了。办公室的门上了锁，门上有一张小卡片，上面写着：

威尔逊惊呆了。他问遍了附近的人，但谁也不知道是怎么回事。最离奇的是，那栋办公楼的房东居然没听说过红发协会，还反问他：“‘红发协会’是什么？剪头发的店吗？”

威尔逊不死心，继续追问房东：“不可能啊，房东先生。那你认识罗斯先生吗？就是租你屋子的红头发先生啊！”房东想了想，说：“罗斯？不认识。租房子的那位红头发先生叫莫里斯。他昨天刚**搬走**了，我知道新地址。”

威尔逊照着新地址，满怀希望地找了过去，却发现那里只是一个小工厂，厂里根本没有叫莫里斯或者罗斯的人。

威尔逊激动地说："福尔摩斯先生，我真的很想知道这究竟是怎么回事？他们都是些什么人？为什么要拿我开玩笑？"

福尔摩斯点了点头，说："威尔逊先生，你来找我就对了。这件事很不简单，它可能牵涉到一起严重的**大案件**。对了，你那位聪明能干的伙计是什么时候到你店里来的？"

"嗯……差不多是红发协会刊登广告的一个月前吧。"

"他长什么样子？"

"是个小个子，动作很灵活，看起来有三十几岁。哦，他的前额上有一块白色的**伤疤**，两只耳朵都打了耳洞。"

"原来是他！"福尔摩斯突然兴奋地挺直了身子说，"他还在你那里干活吗？"

"啊？"威尔逊搞不懂福尔摩斯为什么这么激动，挠挠头说，"还在！现在就在店里。"

福尔摩斯点了点头，说："我知道了。威尔逊先生，你先回去吧，等我的消息。"

威尔逊走后，福尔摩斯表情严肃地对华生说：“这件事情非常棘手，请你五十分钟内不要跟我说话。”刚一说完，他就屈起腿蜷缩在椅子上，闭上眼睛一声不响。他嘴里叼着的黑色的**烟斗**，看起来像是一张又尖又长的嘴。过了五十分钟，福尔摩斯从椅子上一跃而起，说：“医生，今天下午有音乐会，我们一块儿去听吧。”

华生对福尔摩斯这种莫名其妙的举动早已见怪不怪了。他知道，这位大侦探已经有主意了。

在去听音乐会的路上，他们刚好路过威尔逊的当铺。当铺附近都是些狭窄又破落的小巷子。福尔摩斯在当铺门口停了下来，歪着脑袋观察了半天，接着又拿手杖使劲**敲打地面**。

过了一会儿，他抬起手来，敲了敲当铺的大门。一个看上去精明能干的小伙子打开门，热情地问：“先生，有什么需要帮忙的吗？”“哦，我们想去听音乐会，请问你知道怎么走吗？”福尔摩斯**不露声色**地问道。小伙子客气地给福尔摩斯指了路，然后很快转身关上了大门。

福尔摩斯直勾勾地盯着当铺紧闭的大门，脸上露出了神秘的笑容。

华生忍不住问：“你在看什么啊，福尔摩斯？刚才为什么要拿手杖敲打地面呢？”

“亲爱的医生，”福尔摩斯揽住华生的肩膀，压低声音说，“现在还没到揭晓谜底的时候。走！我们去**店铺后面**看看。”

他们俩绕到店铺后面。令人震惊的是，店铺前面是破败的小巷，后面却是一片繁华的商业区，有装潢精美的商店和富丽堂皇的楼宇，街道两边形成了鲜明的对比。

华生惊讶地张大了嘴巴。福尔摩斯却显得非常平静，他似乎早就预料到了。福尔摩斯仔细观察了一下周围的环境，然后冲华生笑了笑，说：“好啦，医生，我们的工作完成了。走吧，音乐会就要开始了。”

整个音乐会期间，福尔摩斯都安安静静地坐在观众席上，似乎**沉醉在音乐中**。华生心里响起了一个声音：福尔摩斯的对手要倒大霉了！

音乐会散场后，福尔摩斯又变得严肃起来：“医生，威尔逊的当铺将发生一桩**重大案件**。今晚十点，你能来贝克街找我吗？对了，别忘了带上你的枪。”

华生用力点点头，说：“没问题，福尔摩斯。”

晚上九点多，华生迫不及待地从家里出发了。刚到贝克街 221B，他就看到两辆大马车停在公寓门口。华生疑惑地走进房间，发现屋里果然多了两个人。一个是警察局的琼斯警探，他以前和福尔摩斯合作过；另一个是一位陌生男子，个子高高的，他的穿着看上去很讲究。

福尔摩斯见到华生，高兴地说："行了！我们的人都到齐了。"他一边拿出自己打猎的鞭子，一边向华生介绍道："这位琼斯警探你早就认识了，另外这位是个银行家，呵呵，他今晚也要参加我们的**冒险行动**。"

银行家却冷冷地说："冒险行动？呵，我只希望今晚不是瞎折腾。我可是因为这个行动错过了打桥牌的时间。这是我二十七年来，头一次星期六晚上不打桥牌。"

福尔摩斯哈哈大笑："先生，跟桥牌相比，你今晚下的赌注要大多了！这个数目——三万英镑。"他伸手比画了一下。

"三万英镑？"华生声音颤抖地问道。

琼斯警探挠了挠头，主动解释道："是不是三万英镑我不清楚，不过，今晚我们要抓一个罪犯，就是神出鬼没的约翰·克莱，是我们警察局的**通缉犯**。哦，你应该不认识约翰·克莱。他的祖父是贵族，他却成了罪犯头头，无恶不作。他像狐狸一样狡猾，身手又相当灵活。我追踪他很多年了，却连他的面都没见过。"

这时，福尔摩斯看了看表，说："好啦，时间到了，我们出发吧。"

大家坐着马车来到威尔逊当铺后面的那条商业街。银行家领着大家走过一条狭窄的通道，又穿过一扇小门。一扇厚重冰冷的大铁门映入眼帘，看起来像一头看守宝库的猛兽。银行家掏出钥匙打开铁门，接着他们又穿过了两扇这样的大铁门，最后才走进一间**封闭的大屋子**。

福尔摩斯举起手提灯四下察看，只见房间里堆满了木箱子。他赞许地说道："先生，你们的安保工作做得很不错。那些心怀鬼胎的盗贼要想从地面上突破，还真不是一件容易的事。"

银行家的脸上露出了得意的笑容："他们想从地下突破，恐怕也不容易。"他一边说着，一边拿手杖敲打地面，突然，他脸色煞白，身体颤抖着叫道："不好！听这声音，地底下怕是被人挖空了！"

"嘘！安静点儿！"福尔摩斯严厉地低吼道，"你这样会**打草惊蛇**的。我看你还是找只箱子坐下，冷静冷静吧。"

银行家张了张嘴，说不出话来。他伸手擦了擦额头上冒出来的冷汗，在一只箱子上**战战兢兢**地坐了下来。福尔摩斯跪在地上仔细查看了一番，站起来低声说："我们起码还要再等一个小时。那些盗贼得等到当铺老板睡着了才会动手。"他说着，突然转向华生，眨了眨眼说："医生，你应该能看出，我们现在是在**银行的地下室**吧？这位先生就是这家银行的董事。"

银行家的脸色在手提灯的照射下变幻不定。他忧心忡忡地说："几个月前，我们银行向法兰西银行借了三万枚**法国金币**，暂时都存放在这个地下室。你看，我现在坐着的这只箱子里面就有两千枚。其实，我们已经收到好几次警告了，说可能有人要抢银行。但我以为这里很安全……没想到……唉……"

"董事先生，你不必这么担心，盗贼现在不是还没得手

嘛。”福尔摩斯拍了拍董事的肩膀说，“相信我，他们一分钱也拿不走。现在，我们必须把所有的灯都熄灭。这伙盗贼聪明得很，一旦察觉到情况不对，立刻就会逃之夭夭。对了，琼斯警探，你已经按我的要求部署好了吧？”

琼斯警探恭敬地回答：“是的，我已经派人守在当铺出口那边了。”

“那就太好了！现在万事俱备，就等鱼儿上钩了。”福尔摩斯熄灭了手提灯，地下室顿时陷入一片黑暗。大家放慢了呼吸，安静地等待着。

时间好像冻结了一样。明明只等了一个多小时，大家却觉得像是熬了一个通宵。突然，前面的石板地上有些异常，隐隐约约有些亮光。大家心头警铃大作，屏住呼吸，眼睛一眨不眨地**盯着**那块石板。

一开始，只有一些灰黄色的火星在那里闪烁。过了一会儿，出现了一道黄色的光束。突然，地面上裂开了一条缝，一只手探了出来，小心翼翼地摸索着，几秒钟后又迅速缩了回去。

刺啦——地面传来一阵刺耳的声响，一块宽大的石板被掀翻了，地面上立刻出现了一个四方形的洞口，里面射出了手提灯的亮光。

有个人从洞口探出了脑袋，灵活地爬了出来，他转身又把自己的同伙拉了上来。他的同伙面色苍白，长着一头蓬乱的**红头发**。

先上来的那个人小声地说：“喂，凿子和袋子呢？你都带来了吗？天哪，不好！阿尔奇，跳！赶紧跳！其他的我来对

付。”说时迟，那时快，福尔摩斯一跃而起，一把揪住这人的衣领。至于那个红头发“阿尔奇”，他猛地跳进了洞里，像兔子一样溜走了。

突然，有把**手枪**的枪管在亮光中闪了一下。“小心！他要开枪了！”琼斯警探高声惊呼。啪——福尔摩斯猛地挥动手里的鞭子，一下抽在那人的手腕上，手枪当的一声掉在石板地上。

福尔摩斯冷冷地说：“嘿！约翰·克莱，别白费力气了，你逃不掉的。”看清约翰·克莱的脸后，华生惊讶地瞪大了眼睛，说：“这不就是威尔逊当铺的那个**伙计**吗？”

约翰·克莱嗤笑一声，说：“我被抓了自认倒霉，但我的朋友，哼，他安全得很！”

福尔摩斯长叹一口气，说：“恐怕要让你失望了。警察们都在当铺门口等着他呢。”

“把手伸出来！”琼斯警探利索地给他戴上**手铐**，“你马上就能见到你的同伴了。”

约翰·克莱先是惊慌地颤抖了一下，接着很快就故作镇定地昂起头，说：“不要用你们的脏手碰我。我是尊贵的王室后裔，在跟我说话时，请用上‘先生’和‘请’字。”

琼斯警探愣了一下，好不容易才憋住笑，说："好吧，这位先生，请跟我们走吧！"

今天晚上的任务圆满完成！华生跟着福尔摩斯回到了贝克街的公寓。福尔摩斯舒舒服服地坐在沙发上，跟华生解释起**红发协会事件**的来龙去脉。

原来，江洋大盗约翰·克莱早就盯上了存放在银行地下室里的三万枚法国金币。他知道银行的安保措施十分严密，所以想出了一个自认为绝妙的歪点子。威尔逊的当铺就在银行对面。如果从当铺**挖一条地道**，那就可以直接通往银行的地下室。可怎么才能把威尔逊支开，顺顺当当地挖通这条地道呢？这就有了红发协会的奇怪招聘。

华生恍然大悟道："我知道了！罗斯先生其实就是那个红头发'阿尔奇'。他在报纸上刊登广告说要高薪招聘红头发的职员，而约翰·克莱则提前打入当铺当伙计，拼命怂恿威尔逊去应聘。可是福尔摩斯，你又是怎么看出这些的呢？"

福尔摩斯端起面前的一杯红酒抿了一口，轻松地回答道："当我听说这个伙计愿意只要**一半的工资**时，我就觉得有问题。这个当铺生意惨淡，店里也没什么值钱的东西，他的目的到底是什么呢？我突然想到这个伙计喜欢拍照，他动不动就去地下室冲洗照片。呵呵，我突然觉得**拨云见日**了。**地下室肯定有问题**！医生，你说说，他每天把威尔逊先生支开好几个小时，会在地下室里捣什么鬼呢？今天下午我们和他打了个照面。果然，他的膝盖处又脏又破，显然是因为跪着挖地道磨破的，不然还能怎么解释呢？”

华生惊叫道：“哎呀，你之前还拿手杖敲了敲地面，就是为了探查地底下是不是空的啊！福尔摩斯，你真是太厉害了！我还有最后一个问题，你是怎么断定他们会在今晚作案的呢？”

“首先，红发协会的办公室关门了，这就代表**地道已经挖通了**，他们一定会尽快行动。恰好今天是星期六，而银行星期天不上班，也就是说，金币今晚被盗走，第二天没人会发现。所以，我推测他们会在今晚下手。”

“妙！妙极了！福尔摩斯，你的这番推理真是太精彩了！环环相扣，准确无误。你真是个天才。”

“这不算什么，”福尔摩斯打了个哈欠，漫不经心地说，“唉，我只是不想庸庸碌碌地虚度光阴。侦破这些小小的案件，我的生活才多了些趣味。”

五个橘核

暴风雨之夜，贝克街221B的公寓里来了一位面色苍白的求助者——奥彭肖。他的两位亲人先后离奇死亡，死前都收到了一封恐吓信，信封里装着五个橘核。如今，他也收到了一模一样的来信。福尔摩斯断定，奥彭肖正面临着死亡危机……

1887年9月的一天，伦敦城里狂风怒吼，暴雨肆虐。可怕的天气像一只挣脱铁笼的猛兽，疯狂地袭击这座城市。随着夜幕降临，滂沱的暴雨像汹涌的海浪，而高高低低的楼房则像漂浮在海上的船只；风声时大时小，像孩子在烟囱里哭泣。

福尔摩斯坐在壁炉前，给从前的案子编号，华生则专心地看着小说。突然，丁零丁零——门铃响了。

华生惊讶地抬起头，问："这么大的雨，福尔摩斯，你竟然还有朋友上门拜访？"

"除了你，我哪还有什么朋友！说不定是有案子上门了。"福尔摩斯往漆黑的窗外瞥了一眼说，"冒着这么大的雨出门，一定是**非常严重的案子**。"

华生打开门，一个二十多岁的年轻人走了进来。他披着雨衣，手里还拿着一把伞，雨水哗啦啦地往下流，很快把地

板都打湿了。年轻人脸色苍白，**忧心忡忡**，像是被一张巨大的网压迫得喘不过气来，但他的语气仍然彬彬有礼：“这么晚来打扰，实在不好意思。请问哪位是福尔摩斯先生？”

福尔摩斯站了起来，说：“我是。”他接过年轻人脱下的雨衣，挂在衣帽架上，问道：“看你鞋子上泥土的颜色，我想你是从西南方来的吧？”

年轻人有些惊讶，然后迅速点了点头，说：“您的目光真锐利。我叫奥彭肖，是一个朋友介绍我过来找您帮忙的。”

“请坐。”福尔摩斯平静地坐回椅子上说，“那么，你究竟遇到了什么**麻烦事**呢？”

奥彭肖把湿透的鞋子伸向炉火旁边，又搓了搓手，说：“这是一件**非常恐怖的事**……要从我的大伯讲起。他年轻时离开英国，去了美国。他在美国参过军，开过种植园，后来发了大财。1869 年，他回到英国乡下过起了隐居的生活。伯父的脾气不太好，平时喜欢一个人待着，抽烟、喝闷酒。他不爱跟人打交道，就连跟我父亲都很少来往，不过，他对我倒是个例外。伯父非常喜欢我，我从十二岁起就搬到他家，把他家当成自己的家。他家阁楼上有个**神秘的小房间**，长年锁着，不准任何人进去。我曾经好奇地趴在门口，透过门缝偷偷朝里看，里面除了一堆破旧的箱子和包袱，没有什么特别的东西。我要说的恐怖的事，发生在 1883 年。”

奥彭肖回忆起那个阴暗的春天。一天，伯父收到了一封奇怪的信。根据邮戳显示，这封信是从印度一个叫本地治里的城市寄来的。“嗯？怎么回事？”伯父好奇地拆开信封，里面一张信纸也没有，倒是啪嗒啪嗒掉下五个干瘪的**橘核**。

奥彭肖惊讶地发现，伯父捏着信封的手不停地颤抖，他的两眼向外凸出，面如死灰，嘴角不由自主地抽搐起来。“K……K……”伯父惊恐地说。

“什么 K 啊？”奥彭肖凑过去仔细一看，原来，在信封封舌的反面，用红墨水写着三个大写字母："K.K.K."。伯父啪地扔下信封，拿着一把生锈的钥匙冲上阁楼，然后抱着一个**黄铜盒子**摇摇晃晃地走了下来。

"快，去把律师给我请来！"说完，他回到自己的房间，砰的一声关上房门。

律师来了之后，奥彭肖竟然也被伯父叫到了房间里。那个黄铜盒子就躺在桌上，盒盖敞开着，里面空空如也。伯父手边的壁炉里，留下了一堆黑色的纸灰。显然，盒子里原来放的是一沓纸，现在已经全烧光了。而打开的盒盖上，也赫然写着三个字母："K.K.K."。

伯父招了招手，说："孩子，我叫你过来是为了**立遗嘱**。"

奥彭肖一愣，问："什么？"

"我要你做我的遗嘱见证人。我死后，所有遗产都留给你父亲……"伯父犹豫了一下，他脸上的表情似乎有些痛苦。"我也不知道这对你们家来说，到底是好事还是坏事，但我只有你们这些亲人了。好了，在这份遗嘱上签名吧。"伯父说。

奥彭肖**糊里糊涂**地在遗嘱上签了名，心里却有一个阴影挥之不去：伯父是不是遇到了什么危险？这一切和"K.K.K."这三个字母有什么关系吗？

K.K.K.
K.K.K.
K.K.K.
K.K.K.

从那以后，伯父的脾气越发暴躁了。他整天把自己关在屋里不停地喝酒，还把房门锁得死死的。有时喝醉之后，他就拿着一把**手枪**冲到花园里大喊大叫：“来啊，来啊，我才不怕你们！”即使是寒冬腊月，他也总是满脸冒着冷汗，一副害怕到了极点的模样。

奥彭肖非常担心他，但又帮不上忙。七个星期后的某一天，伯父又喝醉了。他跑出家门，摔倒在花园角落的一个污水池里。池子里水不深，但伯父是脸朝下摔进去的，等大家发现的时候，他已经没有了呼吸。

警方最后认定伯父是“自杀”。奥彭肖虽然很怀疑，但是他怎么也找不到其他证据。

听了奥彭肖的叙述，福尔摩斯好像想到了什么，他突然

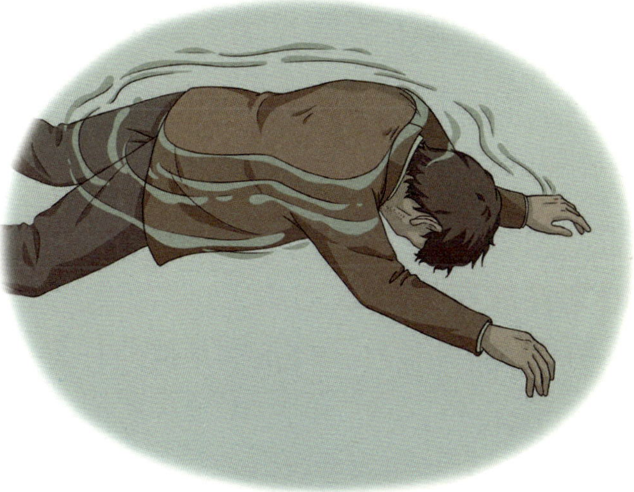

开口问道："从你伯父收到信，到他不幸去世，中间是不是隔了**七个星期**？"

奥彭肖点了点头。福尔摩斯又问："那个黄铜盒子还在吗？"

"还在，就在阁楼上那个上锁的小房间里。我后来仔细检查了一遍，盖子上除了有'K.K.K.'三个字母，还写着这些字：'信件、备忘录等'。我想，这也许就是指被伯父烧毁的那些文件。对了，阁楼上还有伯父在美国时记录的一些文件。"

"我知道了，之后还发生了什么事吗？"

奥彭肖深吸了一口气，继续往下说："伯父去世后，我父亲继承了他的遗产，并住到了他留下的房子里。两年后，也就是 1885 年，新年刚过，我们全家正围坐在桌边吃早餐。突然，我听到父亲惊恐地叫了一声。我抬头一看，只见他左手举着一个刚拆开的信封，右手握着……五个干瘪的**橘核**，而信封封舌的反面也用红墨水写着：'K.K.K.'。

"这封信和伯父收到的那封信有些不同：根据邮戳显示，信是从一个叫邓迪的城市寄来的。而且，信封上多了一行字：'**把文件放在日晷仪上**。'

"父亲茫然地看着信封，声音颤抖地说：'什么……什么文件？什么日晷仪？'

“我往窗外看了一眼，发现花园里就有一个日晷仪。我顿时明白了，写信的人是想让我们把那个黄铜盒子里的文件放在日晷仪上。可是，那些文件都被伯父烧掉了呀。

“父亲定了定神，胆子又大了起来，他猜测，一定是有人恶作剧，所以他决定对这封信置之不理。可是，就在三天之后，父亲出门拜访朋友，回家时……莫名其妙地跌进了一个很深的矿坑……”

说到这里，奥彭肖的情绪显得非常激动。“我父亲一定是被人谋害的！可是，无论我怎么努力，甚至多次勘查现场，都找不到任何陌生人留下的痕迹……最后，警方认定这是一场意外。”奥彭肖痛苦地说。

华生忍不住用同情的目光看着他。奥彭肖揉了揉鼻子，继续说道：“从我父亲去世到现在，已经有两年零八个月了。我以为那伙人已经放弃了文件，然而，就在昨天早上，平静的生活又被打破了。”

“难道……”

奥彭肖点了点头，从口袋里掏出一个皱巴巴的信封，抖了几下，五个干巴巴的橘核  掉在了桌子上。

福尔摩斯神色凝重，他仔细地检查了眼前的这个信封。

从信封上的邮戳来看，这封信是从伦敦发出的。信封封舌的正面写了一行字：“**把文件放在日晷仪上**。”封舌的反面依然是鲜红的三个字母：“K.K.K.”。

“奥彭肖先生，”福尔摩斯语气沉重地说，“我认为，你正处于极度危险之中。自收到信以来，你有没有采取什么措施保护自己呢？”

奥彭肖抬起双手捂住了脸，说：“我告诉了警察，但他们都不相信我说的话。我现在感觉自己就像一只落入陷阱的兔子，不知道敌人会从哪里来，更没办法反抗。”

“哦，这样可不行。你只有打起精神来，才能应对这场危机。唉，你为什么不早点来找我！”福尔摩斯有些焦躁地走了几步。“对了，奥彭肖先生，除了刚才说的那些情况，你还有什么别的线索吗？”福尔摩斯问道。

奥彭肖揉了揉脸，勉强打起精神来。他把手伸进口袋，掏出了一张褪了色的蓝纸，说：“这是我后来打扫伯父房间时发现的。我记得，伯父那天烧掉的文件就是用这种纸写的。这张纸上提到了橘核，还有一些我看不懂的话。”

福尔摩斯举起灯照着，华生也凑上去看了一眼。纸上写着一些莫名其妙的话，有点像日记。大意是说，他们已经派人把橘核送给了三个人，然后这三个人被逐个除掉了。

福尔摩斯看完，飞快地把纸折了起来，放到奥彭肖手里，说：“听我的，你现在立刻回家，找到那个**黄铜盒子**，把这张纸装进去。再写一张便条放进去，就说其他文件都已经被伯父烧掉了。一定要写得极其诚恳。然后，你按照信封上的指示，把盒子放在日晷仪上。”

奥彭肖愣愣地点了点头。福尔摩斯重重地吐出一口气，说：“这个办法应该能帮你脱离危险。至于事情的真相，还有你伯父和父亲的仇，以后再来考虑也不迟。”

“有您这句话我就放心了。”奥彭肖感激地看了福尔摩斯一眼，穿上雨衣，拿起雨伞，冲进了暴雨肆虐的夜色里。

门外，狂风依旧野兽般嗥叫着，瓢泼的大雨哗啦啦地猛拍着窗户。这个年轻人带着**离奇而又凶险**的故事，像一片无助的落叶被强风吹到了贝克街，如今又被暴风雨卷走了。

华生担心地看着窗外，说：“福尔摩斯，他真的不会有事吗？”

福尔摩斯摇了摇头，说：“现在才晚上九点，大街上的人不算少，凶手应该不会那么**明目张胆**地下手。关于这个案子的某些细节，我还需要再思考一下。”

福尔摩斯点上他的**烟斗**，直勾勾地盯着壁炉里跳跃的火焰，陷入了沉思。过了好一会儿，他突然身子前倾，似乎想到了什么。华生紧张地问道：“怎么了，你又推理出什么了？”

福尔摩斯合拢双手，用手背托着下巴，说：“华生，很多时候，侦探往往是从一个很小的突破口开始进行推理的。就好像优秀的生物学家，根据一块骨头就能描绘出一头完整的动物。我们眼前的这个案子，不如先把奥彭肖先生的伯父作为**突破口**。你说，他为什么要从美国回到英国乡下，隐居起来呢？”

华生眨了几下眼睛，说：“会不会是在躲避什么人？比如……我知道了，他一定是在躲避信封上写的那个‘K.K.K.’！可是，那个‘K.K.K.’究竟是谁呢？”

福尔摩斯笑了一下，说：“看来你已经掌握了另一种推理的诀窍，那就是**大胆假设**。一个侦探的头脑再发达，也不可能装下世界上所有知识，所以我们要学会查阅资料。麻烦把书架上那本《美国百科全书》递给我。”

华生拿过来厚厚的一本大书。哗啦——哗啦——福尔摩斯快速翻到了字母 K 开头的一页，指着其中一段说道：“你看这一条，果然，三个 K 不是一个人名的缩写。”

华生兴奋地凑了过去，《美国百科全书》上是这样写的：

三 K 党是美国的一个恐怖的秘密组织，该组织的成员都当过兵。他们在动手之前，总是先寄给对方一些奇怪的小东西作为警告，比如树叶、西瓜子或者橘核。收到警告的人只有逃往国外，或者归顺他们，才能保命；如果置之不理，就会在几天之后死于意外事故。三 K 党的作案手法往往十分隐蔽，所以他们很少被警方抓到。奇怪的是，在 1869 年，这个恐怖的三 K 党突然垮台了，至今还没有人找出原因。

“1869 年，华生，你有没有觉得这个年份有些眼熟？”

华生使劲回想了一下，说：“对了，奥彭肖的伯父就是在这一年回英国的！你是说……”

福尔摩斯猛地合上这本百科全书，说：“没错，他一定是带着某些对三 K 党不利的文件**逃出来**的，所以他收到信之后才会惊慌失措。他知道是三 K 党找上门了，所以急忙烧毁文件，立下遗嘱。”

华生沉重地点了点头，说："然而，三 K 党在他死后还是没有放过他的家人。唉……"

福尔摩斯又靠回了椅背上，说："除此之外，还有几个值得注意的**细节**。华生，你还记得这三封信的邮戳吗？上面有寄信的城市名称。"

"记得。第一封是本地治里，第二封是邓迪，第三封是伦敦。怎么了？"

"这三个城市，都是**港口城市**。写信的人从一个港口换到另一个港口，这说明了什么？"

"港口……啊！"华生眼前一亮，"说明写信的三 K 党人是在一艘船上，他们大部分时间都在海上漂着，只有在港口停靠的时候才能寄信。"

"没错。"福尔摩斯赞许地点了点头，继续说道，"而且，我还能推断出，他们乘坐的是**一条帆船**。"

看着华生疑惑的表情，福尔摩斯不紧不慢地解释起来："还记得最早的那封信吗？奥彭肖的伯父是在收到信七个星期后才去世的，按照三 K 党人的规矩，一般不会拖那么久。唯一合理的解释是：邮局的信件是用轮船运输的，速度比较快，而写信的人在把信件寄出之后，是乘坐帆船到英国的，所以他们比信件**晚了七个星期**到达英国。”

华生不知是第几次露出佩服的神情了：“福尔摩斯，你真是太不可思议了！那我们现在该怎么办呢？”

福尔摩斯看了看漆黑的夜色，说：“有了这几条线索，足够我们做很多事了。不过，今天已经很晚了，外面又风雨大作，我们还是先休息一晚，等到明天放晴再说吧。”

第二天清晨，风消雨歇，太阳透过天空朦胧的云雾照耀着伦敦城。谁也没想到，这天一大早，就传来了一个让人悲伤的消息。

报纸上说：“昨晚九点到十点之间，一位青年绅士在滑铁卢桥畔**落水身亡**。警方根据死者的随身物品判断，死者名叫奥彭肖。他身上没有任何暴力痕迹。警方初步判定，他是因为急于赶上末班火车，在一个码头上失足踩空而落水的。”

福尔摩斯猛地拍了一下餐桌，一跃而起：“我太粗心了，华生！这群狡猾的魔鬼，竟然敢在人群里向他下手……”

华生从没见过福尔摩斯这副既愤怒又愧疚的模样：双手一会儿紧握，一会儿松开，在屋里来来回回地踱步。“我一定要惩罚他们，我要亲手抓住他们……走着瞧吧！”他嚷了几声，迈着大步出门去了。

华生在餐桌前坐了好久，两眼直愣愣地盯着报纸，他猛然想起自己还有几个病人要照顾。等他忙完一天的工作，回到贝克街的公寓时，天已经黑透了，可福尔摩斯还没有回来。直到晚上十点，这位大侦探才面色苍白、筋疲力尽地回到了家。刚一进门，他就跑到厨房，撕下一大块面包塞进嘴里，又咕嘟咕嘟喝了一大杯水。

“天哪，福尔摩斯，你不会一整天都没吃没喝吧？”

“太忙了，没顾得上吃饭。”福尔摩斯边说边嚼了几口面包，又拿出一个橘子，急匆匆地走到书桌前。华生好奇地凑了上去，问：“那你查出什么线索了吗？福尔摩斯，你这是在干什么？”

福尔摩斯疲惫的脸上终于透出了一丝精神气，他回答道：“这叫以其人之道，还治其人之身。”他掰开橘瓣，挤出五个橘核，装进一个信封里，然后拿出笔，

在信封封舌的正面写上“福尔摩斯代奥彭肖先生寄”，在信封的地址栏写上“美国萨瓦纳港，‘**孤星号**’帆船，詹姆斯船长收”。

华生不由自主地瞪大眼睛，问：“这个詹姆斯船长，莫非……就是谋害奥彭肖一家的凶手？”

福尔摩斯点了点头，从口袋里掏出一张纸，只见上面密密麻麻地写满了日期和人名。“我今天一整天都在查资料，想找出那艘**邪恶的帆船**。”福尔摩斯说，“它得符合这些条件：一艘美国帆船，1883 年到过本地治里，1885 年到过邓迪，最近刚到伦敦。我找到了，华生，就是这艘‘孤星号’！船长名叫詹姆斯。它的下一站是萨瓦纳港。”

“天哪！哦……福尔摩斯，你的办法就是把这封信寄给他吗？这有什么用呢？”华生迷惑不解地问道。

福尔摩斯封好了信封，回答道：“当然不是。这封信只是警告而已，就像他们发给奥彭肖一家的警告信一样。我同时给萨瓦纳的警察发了电报，告诉他们这艘船的船员都是杀人犯。只要‘孤星号’一靠岸，这些恶魔就会被逮捕了。”

华生这才恍然大悟，说道：“真有你的啊，福尔摩斯！那我们就坐在家里等好消息吧。”

然而，福尔摩斯和华生等待的好消息迟迟没有到来。因为不久之后，海上刮起了飓风，“孤星号”帆船或许是被大风吹得偏离了航向，根本就没有到达萨瓦纳港，所以船上的人并没有收到这五个橘核，也没有被当地的警察抓获。华生为此沮丧了很久，每当想起奥彭肖先生年轻的面孔，他总是觉得十分难过。

直到有一天，福尔摩斯得到了一个消息：有人在一片遥远荒凉的海滩上，看到了一块碎木片，这块木片显然是从一艘船上掉下来的。在这块木片上，刻着“**孤星**”两个字。看来，“孤星号”和船上那些坏人，最终葬身在了浩瀚的大海里。他们侥幸逃过了福尔摩斯布下的天罗地网，却终究没能逃脱**命运的审判**。

歪唇男人

华生帮妻子的朋友寻找夜不归宿的丈夫，却在天鹅闸巷的一个会馆里碰到了乔装打扮的福尔摩斯！原来，福尔摩斯正在追查一个谜案：圣克莱尔先生在会馆三楼神秘失踪，警察赶到时，现场却只有一个相貌奇丑无比的歪唇乞丐……

丁零丁零！华生家的门铃突然被人按响了，正坐着打盹的华生一个激灵醒了过来。他的妻子玛丽放下手中的针线活，叹了一口气，说：“唉，应该是病人吧！你又得出诊了。”

玛丽打开门，门口站着一位**蒙着面纱**的女子。“实在抱歉，这么晚了还来打搅你们！”女子快步走进屋，然后径直扑到玛丽身上，搂住她的肩膀啜泣起来：“我的命怎么这么苦呀！”

玛丽疑惑地掀开女子的面纱，呀，原来是她的好朋友凯特。“发生什么事了？你先别哭，慢慢说。”玛丽温柔地说道。

凯特不停地抹着眼泪说：“是……是我的丈夫艾萨，他已经两天没回家了！”

“啊？那你知不知道他去哪里了？”

“他最喜欢抽烟，经常和一群烟鬼朋友聚在一个印度老板开的会馆里抽烟。以前他不管怎么胡闹，晚上总会回家，可这次他已经**整整两天**没有回家了。那个会馆里都是爱抽烟的男人，我一个弱女子，总不能到那种地方去找他吧！”凯特眼泪汪汪地看着华生，恳求地说，“医生，现在只有你能帮我了。”

华生二话不说就答应了下来：“你先安心回家吧，我去帮你把他找回来。”

华生送走凯特后，雇了一辆马车，直奔会馆所在的**天鹅闸巷**。这条小巷又脏又乱。他走过一段陡峭的阶梯，又穿过一个黑乎乎的洞口，总算找到了凯特所说的那家会馆。

华生推开大门，映入眼帘的是一间低矮狭长的屋子。屋里到处弥漫着浓重的烟雾，一股刺鼻呛人的味道扑面而来。

一个小伙计看到华生，以为是来了新客，便兴冲冲地迎了上来。华生连连摆手说：“我是来找人的，有位叫艾萨的朋友在这里。”

话音刚落，角落里有个人**有气无力**地应了一声。借着暗淡的灯光，华生看见了迷迷糊糊、邋里邋遢的艾萨。

艾萨揉了揉眼睛说：“华……华生医生！你……你怎么来

了？”他自知理亏，讨好地笑着问华生：“医生，现在几点了？”

华生冷冰冰地盯着他，说：“快十一点了。”

“星期几？”

“**星期五**，6月19日。”华生加重了语气。

“我的天哪！我还以为是星期三呢。怎么，今天不是……不是星期三吗？”艾萨的声音越来越小。

突然，艾萨双手捂脸，放声痛哭起来：“我……我不是故意的。可怜的凯特，她一定担心坏了！我马上跟你回去……”

走过一个炭火盆时，突然，有一只手猛地拉了一下华生的衣服。一个微弱的声音传入华生耳中：“先走过去，再回头看我！”

华生**大吃一惊**，他迅速低头查看，只见一个满脸皱纹、高高瘦瘦的老头，驼着背，双手托腮，眼睛直愣愣地盯着炭火。刚才是他在说话吗？华生满心疑惑地走了两步，再回头看时，差点没叫出声来。

那个老头转过身，昏花的双眼一下子变得炯炯有神，他对着华生咧嘴一笑。这老头竟然是**乔装打扮**的福尔摩斯！

福尔摩斯给华生使了个眼色。华生连忙走过去，压低声音问：“福尔摩斯，你怎么到这里来了？”

“嘘，小声点儿，我可不想被人认出来。”福尔摩斯瞥了艾萨一眼，压低声音说，“你先把他送走，然后在门外等我。”

华生叫来马车，请马车夫给妻子带了一张字条，又安排马车夫把艾萨送回去，自己则安安静静地在路口等着。过了一会儿，福尔摩斯出来了。他还是驼着背，踉踉跄跄的，好像下一秒就要栽倒在地。等到两人远离会馆两条街之后，福尔摩斯才站直身体，尽情大笑起来。

“太巧了，华生，没想到在这种地方也能遇到你。”很快，福尔摩斯的表情变得严肃起来，他继续说道，“你别误会，我是来**查案**的。至于为什么要隐藏身份，呵，因为这家会馆的印度老板跟我有仇，他曾发誓要杀了我呢。”

说完，他把两根手指放在嘴唇上，发出一阵尖锐的口哨声。黑暗中，一辆马车驶了过来，停在他们面前。

“华生，你现在愿意跟我一起去**冒险**吗？”

“当然愿意！”

“那真是太好了！”福尔摩斯转过身对马车夫说，“约翰，你把马车留下，自己先回去吧。”

夜晚的伦敦街道一片漆黑，寂静无声。福尔摩斯一言不发地驱赶着马车。他低垂着头，似乎正在思考什么**难题**。

华生不敢打断福尔摩斯的思绪，只好安静地坐在马车里，闷声不响。过了好一会儿，福尔摩斯耸了耸肩膀，点燃了**烟斗**，说：“医生，待会儿见到那位女士，我实在不知道该说些什么。”

华生无奈地摊开双手，说：“福尔摩斯，关于这个案子，我还什么都不知道呢。”

“是这样的，几天前，有位女士向我求助，说她丈夫上周在天鹅闸巷里**失踪**了。”

接着，福尔摩斯简要地把案情向华生介绍了一下。

这位女士一家住在郊区的一幢别墅里。她的丈夫名叫圣克莱尔，是一位富有的绅士。圣克莱尔先生每天早晨进城工作，下午坐火车回家。上周一，圣克莱尔先生照例进城工作，出门之前，还说要给孩子带一盒玩具积木。

那天下午，圣克莱尔太太进城去取包裹，在回火车站的路上，她刚好路过天鹅闸巷。突然，楼上传来一声喊叫。她抬

头一看，猛然发现她丈夫站在会馆三楼的窗前疯狂**招手**，但瞬间又消失不见了，好像是被什么人一把拉了回去。圣克莱尔太太吓得浑身发冷，急忙闯进会馆。可是，会馆那个印度老板说什么也不让她上楼，还粗鲁地把她赶了出来。

圣克莱尔太太又惊又怕，赶紧找来了正在值班的警察。在警察的帮助下，他们进到三楼的屋子里。然而，整层楼除了一个跛脚的**丑乞丐**在那里休息之外，他们没有见到其他人。

印度老板和乞丐都发誓说，绝对没有其他人到过三楼，圣克莱尔太太一定是看错了。

就在这时，圣克莱尔太太突然看到桌上有一个木盒。她尖叫着猛扑过去，把盒盖掀开，哗啦啦地倒出一大堆玩具积木。这正是圣克莱尔先生答应要带给孩子的玩具。

看到那些积木，跛脚乞丐露出了**惊慌失措**的表情。警察把整层楼仔细搜查了一遍，在一间小卧室的窗框和地板上，发现了**斑斑血迹**。警察还在一个帘子后面，找到了圣克莱尔先生的全套衣服，不过唯独缺了一件上衣。

小卧室的窗户正对着一片河滩，案发时河水正在涨潮，潮水达到最高点，如果圣克莱尔先生从这里跳下去，恐怕不太可能成功逃生。

警察先审问了印度老板，但印度老板一口咬定，自己什么也不知道。而且，根据圣克莱尔太太的描述，她丈夫才消失几秒钟，印度老板就已经出现在了一楼的楼梯口，他没有足够的作案时间。

警察最后把目光锁定在**跛脚乞丐**身上。这个乞丐的长相十分奇特——一头蓬乱的红头发，一双炯炯有神的眼睛，下巴长得很滑稽。最让人印象深刻的是，他的脸上有一道又长又怪的**伤疤**，这道伤疤把整张脸都扯变形了，连嘴也扯歪了。

跛脚乞丐每天都在伦敦街头乞讨，路过的人看到他，都忍不住同情他的长相，所以给他的零钱就像雨点般落进他身边的帽子里。

可是，他有什么理由**谋害**圣克莱尔先生呢？

警察没能弄明白跛脚乞丐的作案动机，也找不到给他定罪的证据。虽然他的右臂袖子上有一些血迹，但他指着自己的手指辩解说，他早上不小心割破了手指，袖子上的血迹就是这么沾上去的。他一口咬定没见过圣克莱尔先生，但始终无法解释，房间里的那套衣服是从哪里来的。警察决定先把他带回警察局，之后再慢慢审问。警察还安排人留守在会馆三楼的小卧室里，希望能在退潮后从河里找出一些线索。

福尔摩斯饶有兴味地对华生说："退潮后，警察在河滩上发现了圣克莱尔先生的**上衣**。你猜衣服口袋里有什么？"

华生好奇地问："有什么？"

"**硬币**！足足有七百多枚硬币！"

"这也太奇怪了！"华生瞪圆了眼睛说，"可是，为什么只有上衣在河滩上呢？难道他跳河时只穿了一件上衣？"

"我是这样想的：跛脚乞丐先把圣克莱尔推出了窗外，接下来，他必须尽快处理掉圣克莱尔的衣服。可是衣服太轻了，根本沉不下去。时间紧张，刻不容缓，无奈之下，他只好把自己乞讨得来的硬币塞进了那件上衣口袋，一起扔了下去。之后，他还想用同样的方法处理剩下的衣服。可是，警察已经上楼来了，他只好把衣服藏到帘子后面。"

华生摸着下巴，边思考边点头说："确实有这种可能性。"

"但我还有一个地方想不明白，就是这

个乞丐为什么要**谋杀**圣克莱尔？当时在那间小卧室里，究竟发生了什么？”福尔摩斯抬起头，**心事重重**地望着前方的灯光。“我们到了，华生。圣克莱尔太太在等我们。说实话，我有点儿不忍心见她，我担心她丈夫已经……”福尔摩斯说。

这时，马车在一幢乡间大别墅前停了下来。大门敞开着，一位**优雅的女士**在门口等着，她就是圣克莱尔太太。她微微弯着腰，眼睛里充满着期待，嘴巴张了几次，终于发出了微弱的声音：“福……福尔摩斯先生……怎么样了？”

福尔摩斯抱歉地摇了摇头。圣克莱尔太太的声音颤抖起来：“有……有什么坏消息吗？”

“没有。”

她竭力平复自己的情绪：“先生，您……您觉得我丈夫……还活着吗？”

福尔摩斯停顿了好一会儿，才艰难地回答：“说实话，我不这么认为。”

圣克莱尔太太捂着脸，哽咽地问：“您认为他死了？什……什么时候遇害的？”

“根据目前的信息来看，应该是上周一。”

圣克莱尔太太突然激动起来，说：“不不，福尔摩斯先生，您弄错了！我今天还收到了他的**来信**！”

“什么！”福尔摩斯像触电一样，猛地从椅子上弹了起来。

“就是今天。”圣克莱尔太太高高举起**一封信**，脸上带着胜利的喜悦。

福尔摩斯急切地接过信。信封的纸质很粗糙，发信日期是今天。他疑惑地问：“嗯？信封里还附了东西？”

“对，是一枚**戒指**，他的图章戒指。”想到丈夫还在世，圣克莱尔太太的笑容显得有些甜蜜。

“你能确定这是你丈夫的笔迹吗？”福尔摩斯皱着眉问。

“我确定！他匆忙写字的时候，笔迹就是这样的。我想他在写这封信的时候，一定很着急。”

亲爱的：

不要害怕。一切都会好起来的。我已经铸成一个大错，现在需要些时间来纠正。请耐心等待。

圣克莱尔

福尔摩斯拿着信纸，凝神研究了半天。

圣克莱尔太太双手合十，语气坚定地说："**他一定还活着**！福尔摩斯先生，我们夫妻之间的心灵感应是很强的。就在他失踪的那一天，他起床后不小心在卧室里割破了手，当时我在餐厅，心里却好像感应到了，一阵发慌。您想，一件小事我都有这么强烈的反应，他要是真的遇害了，我又怎么会感觉不到呢？"

"等等。"福尔摩斯猛地抬起头问，"你是说，你丈夫那天**割伤了手指**？"

"是呀，伤口很深呢，当时流了不少血。"

"哦！请你仔细回想一下，你当时在楼下听到的叫声，一定是求救声吗？"

圣克莱尔太太有些迟疑地说："这……我听得不太清楚，可如果不是求救声，还能是什么呢？他当时还在**招手**啊！"

"也许是因为他没想到会在那里看到你，震惊得大叫一声，又本能地举起了手。太太，你觉得有可能吗？"

圣克莱尔太太思考了几秒钟，不得不点头承认："这倒也有可能。"

"他会是被人使劲拽回去的吗？"

“我……我不太确定了，他一下子就不见了。”

“好了，太太，谢谢你提供给我的**线索**，我敢说，你的丈夫很快就会回来。”

那天晚上，福尔摩斯和华生留在别墅里过夜。福尔摩斯把卧室里的几个枕头拼成沙发，一整晚都坐在上面，嘴里叼着一个**旧烟斗**，两眼茫然地看着天花板的一角。他一声不吭，纹丝不动，就像是正在打坐的和尚。

华生一觉醒来，发现福尔摩斯依然叼着那个烟斗，轻烟缭绕，缕缕上升。昨天晚上的一盒烟丝，现在已经荡然无存，都被福尔摩斯抽光了。

“你醒了吗，华生？”

华生点了点头。福尔摩斯兴奋地说：“那就快穿衣服，我们乘马车出去一趟。我有一个想法，但需要核实一下……如果真是这样，那我就是全欧洲最愚蠢的大傻瓜！”

福尔摩斯赶着马车，飞快地穿过一条条街道，最后居然来到了**警察局**。一名身材高大的警察走了过来，彬彬有礼地问：“福尔摩斯先生，有什么需要我帮忙的吗？”

“我来找跛脚乞丐，就是圣克莱尔先生失踪案的嫌疑犯。”

“哦，他呀！”值班警察耸了耸鼻子说，“这家伙浑身黑得像煤炭，简直臭死了。”

福尔摩斯挑了挑眉，问：“哦，他很脏吗？”

“脏透了！”

“我能见见他吗？”

“跟我来吧。”值班警察领着福尔摩斯和华生沿着一条旋转楼梯往下走，来到了一条幽暗的走廊，走廊两侧各有一排**牢房**。

“他就在右侧第三间。”

福尔摩斯和华生隔着牢门往里看，只见跛脚乞丐正躺在床上睡觉呢。他穿着破破烂烂的衣服，的确像值班警察说的那样，满脸污垢，又脏又臭。从他眼睛旁边到下巴处，有一道宽宽的旧伤疤，把整张脸都扯变形了，嘴也扯歪了。一头蓬乱的红头发把他的额头和眼睛都遮住了。

“我想，他需要**清洗一下**！”福尔摩斯一边说着，一边打开自己的提包，取出了一块很大的洗澡海绵。

“哈哈！福尔摩斯，想不到你还是个爱开玩笑的人！”值班警察轻声笑着，用钥匙打开牢房的门锁，然后轻轻地推开了牢门。跛脚乞丐睡得正香，什么也没察觉。

福尔摩斯拿海绵沾了些水，走到跛脚乞丐面前，用海绵在他脸上使劲地擦了几下。

神奇的事情发生了。跛脚乞丐的脸被福尔摩斯这么一擦，就好像树被剥了皮一样，表面上被剥下了厚厚的一层：满脸的污垢不见了！恐怖的伤疤不见了！连怪异的歪嘴唇也不见了！福尔摩斯伸手一揪，那乱蓬蓬的红头发居然被揪了下来。

这时，跛脚乞丐终于迷迷糊糊地醒了过来。他揉了揉双眼，茫然地打量着周围。突然，他摸了摸自己的脸，尖叫一声扑在床上，把脸死死地埋在枕头里。

“我来介绍一下，”福尔摩斯大声说，“这位，就是消失了一周的圣克莱尔先生。”

华生和值班警察都**惊呆**了。圣克莱尔绝望地呜咽着:“实在是太丢人了……我的妻子和孩子啊！我做出这样的事情，他们一定会感到羞耻的。”

福尔摩斯拍了拍他的肩膀，说:“别担心，这案子现在还没闹上法庭。只要你老实交代，证明自己没有违法犯罪，警察就会放你走的。”

“真的吗?”圣克莱尔的眼里又燃起了希望的光芒，“坐牢我愿意！就算把我枪毙了，我也没话说。只求不要把我的秘密公之于众。我不想我的妻子和孩子被人笑话。”

圣克莱尔耷拉着脑袋，坦露了自己的**秘密**。

他的故事还得从一次新闻报道说起。原来，圣克莱尔以前当过记者。有一回，为了报道乞丐的生活，他假扮成乞丐，混入了他们的圈子。

假扮乞丐的时候，还真有人往他的帽子里扔零钱。他收工准备回家时，意外地发现，当乞丐赚的钱竟然比记者的工资高得多。

不过，当时他并没把这件事放在心上。直到有一天，他因为被人坑害，欠下**巨额的债务**。他急得走投无路，突然脑子里灵光一现，想到了之前假扮乞丐的经历。于是他试着

又扮成乞丐到城里乞讨。结果呢，只花了十天时间，他就凑齐了钱，还清了债务。

由于尝到了当乞丐的甜头，从此以后，他再也不愿意老老实实回去工作了。他辞去了记者的工作，日复一日顶着那张恐怖的**假面孔**，可怜巴巴地坐在墙角乞讨。只有一个人知道他的秘密，那就是会馆的印度老板。印度老板把三楼的小卧室高价租给圣克莱尔，让他在那里**乔装打扮**。每天早晨，他以一个邋遢乞丐的面目出现，到了晚上，又变成衣冠楚楚的绅士。

没过多久，圣克莱尔就攒了一大笔钱，在郊区买了别墅，后来又结婚生子。没有人怀疑过他真正的职业，就连他的妻子也只知道他是在城里做生意。

上周一，他正在会馆的小卧室里换衣服，不经意地往窗外瞥了一眼，竟然看到了自己的妻子！他的妻子显然也发现了他。圣克莱尔吓得惊叫了一声，手也**不由自主**地挥动了起来。紧接着他猛地往后一跳，像弹簧一样从窗口弹开了。他飞快地冲去找印度老板，拜托他拦住自己的太太，而他自己则回房间换下衣服，在脸上涂满颜料，戴上假发。

突然，他想到换下的衣服可能会暴露自己，便慌里慌张地打开了窗户。由于用力过猛，他不小心碰到了早晨在家割破手指留下的伤口，流了血。他**手忙脚乱**地抓了许多硬币塞进上衣口袋，让上衣变得沉甸甸的，再用力往河里一扔。他还想把其他衣服也扔下去，但警察已经冲上楼了。来不及了！他左看右看，最后只好把衣服藏在帘子后面，自己则装成乞丐蹲在小卧室的门外。

警察和他的妻子都没有认出他，他还被当成嫌疑犯带走了。圣克莱尔怕妻子担心，匆忙写了**一封信**，托印度老板转交给妻子，还偷偷取下戒指当作信物。

“很可惜，那封信昨天才被送到圣克莱尔太太手里。从事发到现在，已经过去一个星期了。”

圣克莱尔愧疚地抓着自己的头发说：“我的天哪！这个印

度老板办事太不可靠了！这一个星期可真够她熬的！”

值班警察严厉地说：“这件事必须**到此为止**！圣克莱尔，你要是再扮成乞丐去乞讨，警察局会把你的丑事刊登到报纸上的！”

“我以两个孩子的名誉发誓，我绝对不会再做这种傻事了。”圣克莱尔举起手发誓道。

值班警察转过身，握住福尔摩斯的手，热情地说：“福尔摩斯先生，非常感谢你帮我们解决了这个案件！请问你是怎么找到答案的呢？”

福尔摩斯笑了笑，说：“整个案子留下了许多**线索**，就看你有没有认真观察的眼睛和仔细思考的脑子了。”

蓝宝石和大肥鹅

圣诞节当天，警察局的看门人彼得森白捡了一顶帽子和一只大肥鹅。离奇的是，他竟然在鹅肚子里发现了伯爵夫人被盗的蓝宝石！窃贼究竟是谁？蓝宝石为何会出现在鹅肚子里？福尔摩斯能破获这个离奇的案子吗？

圣诞节后的第二天，华生一大早就来到了贝克街的公寓。福尔摩斯穿着一件紫色睡衣，慵懒地斜靠在一张长沙发上，手边放着一个放大镜、一把镊子，眼睛则盯着前面木椅上挂着的一顶**破帽子**。

华生好奇地走上前去，问：“福尔摩斯，你在研究这顶帽子吗？难道它跟什么重大的案件有牵连吗？”

“那倒不至于。华生，你应该认识警察局的看门人彼得森吧？”

“当然认识，这是他的帽子吗？”

福尔摩斯摇了摇头，说：“不！呵呵，是他捡来的。事情是这样的。昨天一大早，彼得森去参加了一场圣诞宴会。在回家的路上，他看见一个高个子男人，肩上扛着一只白色的**大肥鹅**。恰好那个时候，高个子男人遇上几个流氓，他们打了一架，高个子男人一不小心把路边商店橱窗的玻璃打碎了。”

“然后呢？”

“那个彼得森啊，倒是相当热心，他冲上前去想要帮忙。没想到，高个子男人看他身穿警服，还以为他是要追究自己打碎橱窗玻璃的事，于是撒开腿就跑了，连地上的帽子和大肥鹅都忘了拿走。彼得森只好把这两样东西都**捡走**了。”

“哦，我明白了。”华生恍然大悟道，“彼得森来找你，一定是想把东西还给失主吧？”

“没错。彼得森带着帽子和大肥鹅来找我，我注意到鹅脚上系着一张**小卡片**，上面写着：‘献给亨利·贝克夫人’，

帽子里也有亨利·贝克名字的首字母缩写‘H.B.’。我猜，失物主人的名字叫亨利·贝克。可是华生，你知道伦敦城里有多少个亨利·贝克吗？”

华生忍不住笑了起来，说：“恐怕没有一千，也有八百吧。”

“是啊，我暂时还没有办法从这么多人里面找出失物主人。可是那只鹅要是再放下去，就要变质咯。所以，我干脆让彼得森把它拿回家吃掉了。至于这顶帽子嘛，就留在这里，我要好好观察观察。”

华生凑近破帽子，问道：“那你瞧出什么门道没有？”

“多少有一些吧。”福尔摩斯抬起头，饶有兴味地看着华生说，“你要不要也来试试？说不定能看出什么线索。”

华生兴致勃勃地接过帽子翻看起来。这是一顶极其普通的黑色圆帽，材质很硬，而且破破烂烂的，几乎不能再戴了。帽子的内衬是红色丝绸，但已经褪色了。

华生看了半天，最后无奈地放弃了，说：“唉，我什么也看不出来。”

“华生，你不能光用眼睛看，还要动脑筋**推理**。”福尔摩斯拿起帽子说，“你看看帽子的式样，再看看华贵的丝绸内衬，不难推测出，它的主人曾经富裕过，但现在生活得十分穷困。”

“哦，对！对！”华生连声附和。福尔摩斯又说：“你仔细观察观察，帽子里藏着一些灰白色的**头发茬**，这说明帽子的主人是个中年人，最近刚理过发。再看帽子上累积的灰尘，起码有几个星期没清理过，这说明他的婚姻生活不太幸福，他的妻子很可能已经不爱他了。”

华生摇了摇头，说：“可是，他也有可能是个单身汉啊！”

福尔摩斯微微一笑，说：“你忘了大肥鹅脚上的卡片吗？‘献给亨利·贝克夫人’，他肯定是想把鹅带回家，送给他的妻子当**圣诞礼物**。”

华生忍不住拍手称赞：“福尔摩斯，你真是聪明绝顶！不过，这似乎跟犯罪行为扯不上什么关系，你的这些推理，只能当个小游戏了。”

福尔摩斯张嘴正要说什么，突然**砰的一声**，房门猛地被人推开了，冲进来的不是别人，正是看门人彼得森。他气喘吁吁地说：“那只鹅……福尔摩斯先生！那只鹅！”

福尔摩斯扬了扬眉毛，问：“怎么啦？难道它活过来，扑棱着翅膀飞走了？”“不是，福尔摩斯先生，你瞧我在鹅肚子里发现了什么！”彼得森朝福尔摩斯伸出手。在他的手心上，躺着一颗光彩夺目的**蓝宝石**！这颗宝石有黄豆那么大，晶莹剔透，像一道电光在他黝黑的手心里熠熠发光。

福尔摩斯眼睛一亮，他猛地站了起来说：“噢，彼得森！这可不是普通的宝石，是报纸上的那颗啊！”

华生瞪大眼睛，惊叫起来：“那颗宝石……难道是伯爵夫人丢失的蓝宝石？”

“绝对错不了！我每天都在报纸上关注那个**失窃案**，太清楚那颗宝石的形状和大小了！伯爵夫人为了找到它，愿意悬赏一千英镑。不过，哼，一千英镑还不到它价值的二十分之一呢。”

“悬赏一千英镑！我的老天爷呀！”看门人彼得森震惊得扑通一下跌坐在椅子上，眼睛瞪得溜圆溜圆的。

华生努力回想着：“如果我没记错的话，那颗宝石是伯爵夫人在旅馆住宿时丢的吧？那家旅馆叫什么来着……”

福尔摩斯已经动作利落地从报纸堆里翻出了自己想要的信息，说：“看，就在这里。五天前，伯爵夫人在世界旅馆弄丢了一颗蓝宝石，一名叫霍纳的管道工被怀疑是小偷。根据旅馆领班赖德的说法，霍纳是被叫来修壁炉栏杆的，他离开

宝石失窃案最新报道
五天前，伯爵夫人在世界旅馆弄丢了一颗蓝宝石，
被怀疑是小偷。根据旅馆领班赖德的说法，霍纳是被叫来修壁炉栏
离开后，伯爵夫人梳妆匣里的蓝宝石就不翼而飞了。伯爵夫人的女仆也出来
做证，她的说辞和赖德的完全一致，她还说听到了赖德发现宝石被偷时发出
的尖叫声。可是，当警察逮捕管道工霍纳时，霍纳却坚称自己是无辜的。而
且，警察也没有在他身上或者家里搜出宝石。

后，伯爵夫人梳妆匣里的蓝宝石就**不翼而飞**了。伯爵夫人的女仆也出来做证，她的说辞和赖德的完全一致，她还说听到了赖德发现宝石被偷时发出的尖叫声。可是，当警察逮捕管道工霍纳时，霍纳却坚称自己是无辜的。而且，警察也没有在他身上或者家里搜出宝石。”

福尔摩斯把报纸扔到一边，说：“报道出来的情况就这么多了，我们得把这一系列事件搞清楚。宝石是在大肥鹅的肚子里找到的，而大肥鹅来自亨利·贝克先生。所以，我们第一步要做的，就是找到这位贝克先生。”

华生为难地挠了挠头，问：“可是怎么找呢？”

“很简单，写一则**失物招领**就好了。”福尔摩斯立刻拿出纸和笔，埋头写下几行字：

> 现捡到大肥鹅一只、黑帽子一顶，请失物主人亨利·贝克先生今晚六点半到贝克街 221B 取回。

华生还是有些担心，他问道：“福尔摩斯，你确定他能看到这则失物招领吗？”

“一定会的。”福尔摩斯**胸有成竹**地分析道，“亨利·贝克现在穷得叮当响，偏偏又在圣诞节当天弄丢了给妻子的大肥鹅，他现在一定肠子都悔青了。所以，他这两天一定会特别留心报纸上的《失物招领》栏目。彼得森，麻烦你把这个送到报社，尽可能刊登在今天所有的晚报上。”

彼得森连连点头，说：“好的，好的。那这颗宝石该怎么处理呢？”

“宝石先留在我这里吧，我会联系伯爵夫人的。”福尔摩斯突然想起了什么，他叮嘱道，“对了，你在回来的路上请顺便帮我买只鹅，总不能让贝克先生空手而归吧。”

彼得森走了之后，福尔摩斯立刻把蓝宝石锁进了保险柜里，然后给伯爵夫人写了一封信。

华生心里琢磨着这个**离奇的案子**，他问道：“福尔摩斯，你觉得管道工是无辜的吗？”

“现在还不好说。”

“那你觉得这件事和贝克先生有关吗？”

“这位贝克先生估计是**清白的**。他要是知道大肥鹅的肚子里有这么贵重的宝贝，一定不会慌里慌张地把鹅丢下就跑了。”福尔摩斯露出一个神秘的微笑，接着说道，“不过，等他找上门来，我会再考验考验他的。”

在这之后，华生离开贝克街，去看望了一个病人。等他回来时，已经过了晚上六点半。他走到福尔摩斯的公寓门口，刚好看见一个身材高大的男人。公寓的门开了，两个人一起走了进去。

“你就是亨利·贝克先生吧？”福尔摩斯从椅子上站了起来，手里拿着那顶**黑帽子**说，“请坐。你看看，这是你的帽子吗？”

“没错，这确实是我的帽子。”贝克先生说。

贝克先生是个身材魁梧的中年人，他的脑袋很大，脸上长着灰白的络腮胡子。他看起来挺有学问的，但也非常穷困。他说话断断续续的，好像每个字都需要思考很久。

福尔摩斯把黑帽子递给贝克先生，平静地说：“先生，帽子给你，但是很可惜，你的那只**大肥鹅**已经被我们吃掉了。”

“什么？被吃掉了?!”

“是的，要是再不吃，它就要变质了。不过——”福尔摩斯微笑着指着餐桌说，“我把桌上那只肥鹅赔给你，它跟你的鹅分量差不多，而且十分鲜嫩。你不介意吧？”

贝克先生松了一口气，说："哦，那没事，我不介意的。"

"对了，你那只鹅的羽毛和内脏，都还留着。你想带走吗？"福尔摩斯**轻描淡写**地说着，眼神却锐利地扫过贝克先生的脸。

贝克先生哈哈大笑起来："我对那些东西一点儿兴趣也没有，麻烦你直接扔了吧。"

福尔摩斯飞快地看了华生一眼，耸了耸肩膀，像是在说："看见了吧，这位先生一点儿都不关心鹅肚子里的东西，他压根儿就不知道**蓝宝石**的事。"

福尔摩斯把餐桌上的大肥鹅交到贝克先生手里，同时不动声色地打听起来："顺便问问，你那只鹅是从哪里买的？毛色既漂亮又光滑，我也想去买几只。"

贝克先生把大肥鹅紧紧地抱在怀里，说："哦，那只鹅是别人送我的。**阿尔法酒馆**的老板今年创办了一家大白鹅俱乐部，我入会了。圣诞节那天晚上，俱乐部给所有会员都送了一只鹅。"

"原来是这样啊。"福尔摩斯摸了摸下巴说。贝克先生鞠了一躬，然后迈着大步离开了。

福尔摩斯看着华生说："接下来，咱们该去那家阿尔法酒馆了。”

他们俩穿上大衣，围上围巾走出了家门。夜晚寒风凛冽，星星在漆黑的夜幕上闪烁着寒光。伴随着清脆又响亮的脚步声，两人快步穿过几条街，找到了阿尔法酒馆。福尔摩斯走到柜台前，说：“老板，来两杯啤酒。”

老板倒了满满两大杯啤酒。福尔摩斯端起酒杯，眨了眨眼，说：“看来，你家的啤酒和你养的鹅一样出色。”

老板看起来非常吃惊，说：“什么鹅？我**不养鹅**啊。”

“啊，是亨利·贝克先生告诉我的，他刚刚跟我聊到了你送他的鹅。”

酒馆老板恍然大悟道：“你是说俱乐部送的圣诞节礼物？那些鹅不是我养的，是我从市场上买回来的。对了，是从布莱的摊位买来的。”

“哦，原来如此，谢谢你。”福尔摩斯放下酒杯，拉着华生走出酒馆，不一会儿就赶到了市场。在众多货摊当中，他一眼就看到了一个**招牌**

，上面写着“布莱”两个字。

天色已晚，店老板正和小伙计一起忙着收摊。

福尔摩斯走上前打了个招呼：“哎呀，看样子鹅都卖完了啊！”

店老板头也不抬地说："明天再来吧，我可以卖给你五百只鹅。"

福尔摩斯故作遗憾地说："唉，明天我就用不着了。"

店老板指了指旁边的货摊，说："那几家的鹅还没卖光呢。"

"可是，我听说你卖的鹅品相最好。"福尔摩斯看着店老板试探地问，"能不能告诉我，你的鹅是从哪里来的？"

然而，就这么个简单的问题却惹得店老板**勃然大怒**。他高高昂起头，双手叉腰说："你们有完没完了？到底什么意思？为什么一直来纠缠我？"

福尔摩斯无辜地看着店老板说："可是，我只是想知道你的鹅是从哪里来的啊。"

"够了，真的够了！今天怎么来了这么多傻瓜，唠唠叨叨地问个不停！什么'鹅是从哪里来的''鹅现在在哪里''鹅卖给谁了'，不知道的还以为那不是鹅，而是什么**价值连城**的宝贝呢。你别问了，我今天已经烦透了，一个字也不会告诉你的！"

看着店老板恼怒的样子，福尔摩斯突然转头望向华生，说："算了，既然这位老板不肯说，那我们的赌注就作废了。

不过，我还是坚持认为，酒馆老板送我的那只鹅，一定是在农村养大的。”

华生还没答话，店老板就忍不住插话：“那你可就输了！我的鹅是在城里养大的。”

“不可能！”

“就是城里养的，哼！”

福尔摩斯不屑地说：“我不信，我看鹅的眼光是很准的。”

“喂！我从当小伙计开始，就跟鹅打交道。你觉得我会看错吗？我再说一次，那些送到酒馆的鹅全是在城里养大的！”

“你敢**打赌**吗？”

“打赌就打赌，我拿一个金币和你赌！伙计！把我的账本拿来！”

小伙计捧来一摞厚厚的账本。店老板翻开账本，神气地说：“我从谁那里买的鹅，卖给了谁，全都记在账本里了。我一定要给你个教训！”

店老板哗啦啦地翻着账本，指着某一页的某一行，说：“12月22日，从**奥克肖特太太**处收购二十四只鹅，卖给阿尔法酒馆。”

店老板得意扬扬地抬起下巴，说：“这位奥克肖特太太就是在城里养鹅的。你还有什么可说的？”

福尔摩斯假装十分懊恼，他掏出一个金币扔在店老板的柜台上，满脸不高兴地走开了。刚走出几步，他就对华生露出了一个会心的微笑。

“哈哈，和这种**牛脾气**的人打交道，最好的办法就是打赌。现在我们该去会会那位奥克肖特太太了。不过，看样子已经有人来问过鹅的事情了，所以我们要尽快……”

福尔摩斯的话刚说到一半，就被一阵吵闹声打断了。他转身一看，只见一个**贼眉鼠眼**的小个子男人正站在这家鹅店门口。店老板对他恶狠狠地挥舞着拳头，说：“你和你的鹅真叫我受够了！你要是再来烦我，我就放狗咬你。我的鹅是从你姐姐那里买来的，跟你有什么关系？”

小个子男人可怜兮兮地看着店老板说：“可……可是，其中**一只鹅**是我的呀！”

“那就去找你姐姐奥克肖特太太要吧！”

小个子男人急得快哭了：“是……是她让我来找你要的……”

“那我就管不着了，快走开，别让我再见到你！”店老板冲上前去，做出要打人的样子。小个子男人见状，连忙溜走了。

“看来我们不用去找那位奥克肖特太太了。”福尔摩斯低声说，“医生，跟我来，这个家伙肯定**有问题**。”

福尔摩斯飞快地追上那个小个子男人，拍了一下他的肩膀。那人猛地转过身来，脸色苍白地问：“你……你是什么人？”

福尔摩斯平静地回答道：“我是福尔摩斯。你正在寻找一只鹅，对吧？我知道那只鹅去了哪里。”

“真的吗？哦，谢天谢地！真是太好了！先生，你真是我的救星！”小个子男人激动得浑身哆嗦。福尔摩斯拦下一辆马车，说：“外面太冷了，不如去我家聊吧。”

SHERLOCK HOLMES

小个子男人没有反对。他们三个人一起坐上了马车。

半路上，福尔摩斯问道：“先生，我还不知道你叫什么名字呢。”

“约……约翰。”小个子男人**吞吞吐吐**地回答。

福尔摩斯眯起眼睛，问：“这恐怕不是你的真名吧？”

小个子男人的脸顿时涨得通红，他改口道：“啊……那个……我……我叫赖德。”

福尔摩斯一点儿也不惊讶，他平静地说：“很好，赖德先生。如果我没记错的话，你就是世界旅馆的领班。”

赖德眼里露出了惊慌的神色，他**支支吾吾**地半天说不出话来，直到他们来到了目的地——贝克街 221B。

福尔摩斯领着赖德走进客厅，愉快地说道：“赖德先生，请坐。对了，你的鹅是白色的，尾巴上有一道黑边。我说的没错吧？”

赖德激动得颤抖了一下，尖叫道：“就是它！先生！你能告诉我这只鹅的下落吗？”

“别急，赖德先生。我见过那只鹅，它简直是这个世界上最神奇的鹅了，因为它死后还下了一个蛋，一个**举世无双**的蓝色的鹅蛋。”福尔摩斯意味深长地盯着赖德的眼睛说，“我想，你不会不知道这件事吧？”赖德的脸色顿时变得煞白。福尔摩斯从保险柜里拿出一个小小的物件——一颗光芒四射的**蓝宝石**。赖德直愣愣地盯着蓝宝石，一个字也说不出来。福尔摩斯平静地说：“游戏结束了，赖德先生。”

赖德想要从椅子上站起来，却摇摇晃晃的，差点儿摔倒在地上。华生同情地递给他一杯酒。赖德颤抖着抿了一口酒，这才勉强镇静下来。他用畏惧的眼神看着福尔摩斯，就像在看一头凶猛的野兽。

福尔摩斯冷冰冰地说：“我已经掌握了**蓝宝石失窃案**的所有证据，你最好老实交代。赖德，你是从什么时候开始打起蓝宝石的主意的？”

“是……是**伯爵夫人的女仆**告诉我的。伯爵夫人住进了世界旅馆，我刚好是旅馆领班。那个女仆跟我商量，我们合伙偷走宝石，卖掉宝石得到的钱，我们两个人平分。”

“所以你们俩想办法把管道工霍纳骗到房间里来。在他离开后，你马上撬开梳妆匣，藏起蓝宝石，然后贼喊捉贼，大声叫喊起来，说房间被盗了。我说的没错吧？”

赖德扑通一声跪倒在地毯上，抱住福尔摩斯的膝盖苦苦哀求：“先生，求求你，可怜可怜我吧，千万别把我交给警察……想想我的父亲！想想我的母亲！我要是被抓了，他们可怎么活呀？”

“坐回椅子上去！”福尔摩斯厉声呵斥道，“现在你倒是知道磕头求饶了，你做坏事的时候，有想过那位无辜的管道工吗？”

“警察们找不到证据，管道工会被放出来的，求求你放了我吧……”赖德的眼泪哗啦啦地流了下来。

“哼！那个问题待会儿再说。现在先讲讲你干的好事吧。宝石怎么会到了鹅肚子里？鹅又怎么会出现在市场上？”

赖德老老实实地交代了事情的**前因后果**。原来，管道工被捕后，赖德担心警察会怀疑自己，于是悄悄离开了旅馆，躲到了姐姐奥克肖特太太家里。

他得想办法尽快把宝石卖掉，刚好有个朋友能帮上忙。可是，万一路上碰到警察怎么办？警察只要一搜查，就会发现他口袋里的宝石。赖德急得满头大汗。这时，他恰巧看到了姐姐养的一群大白鹅，顿时**心生一计**。

他仔细观察了一会儿，最后选中了一只尾巴上有道黑边的大白鹅，把宝石塞进了鹅嘴里。大白鹅拍打着翅膀奋力挣扎。这时，姐姐听到动静走了过来，问：“赖德，怎么回事

呀？你抓这只鹅做什么？”

就在这一刹那，大白鹅猛地挣脱出来，蹿回到鹅群里去了。

“哦！姐姐你不是说，圣诞节要送我一只鹅嘛，我想看看哪只鹅最肥。”

姐姐笑了笑，说：“你的那只鹅我早就给你留好了，我保证那只是最肥的。剩下的这些都要被卖到市场上去。”

赖德连忙说：“不，我觉得刚才那只就挺好的！”

姐姐有些不高兴地说：“我给你留的，可比刚才那只重好几斤呢。”

赖德硬着头皮坚持："除了那只，别的我都不要。"

姐姐无奈地答应了："好吧，到底是哪一只？我帮你捉过来。"

赖德兴奋地指着鹅群，说："就是那只，尾巴上有一道黑边的！"

赖德拿到这只鹅，马上去找了他的朋友。可是，当他们剖开鹅肚子时，他们都傻眼了：鹅肚子里根本没有蓝宝石。

"糟了，一定是哪里弄错了！"赖德跑回姐姐家，疯狂地冲进后院，但是他发现刚才的那群大白鹅一只都不见了。姐姐告诉他，那些鹅都被卖到市场上布莱的摊位上去了。

赖德忐忑不安地问："姐姐，鹅群里是不是还有一只尾巴上带黑边的鹅？和我选的那只一样？"

"有，一共有两只尾巴上带黑边的鹅，它们长得特别像，连我都分不清。"

听到这句话，赖德的脑子里一片空白：**他拿错鹅了**！肚子里有蓝宝石的鹅，已经被卖掉了！赖德竭尽全力飞奔到布莱的摊位上。可店老板却说，他早就把所有的鹅都卖掉了。再后来，赖德就遇到了福尔摩斯和华生。

福尔摩斯静静地听完了全过程，最后，他手一挥，说：

“赖德，你走吧。”

赖德难以置信地抬起头，脸上还挂着泪水。他飞快地给福尔摩斯鞠了一躬，然后推开门，连滚带爬地跑了。福尔摩斯拿起**烟斗**，看向华生说：“管道工不久就会被放出来。赖德是个胆小怕事的贼，我相信，从此以后他绝对不敢再做坏事了。”

斑点带子案

华生翻看他和福尔摩斯的破案笔记时，发现了一个离奇古怪的案子。那还是他和妻子玛丽结婚前发生的事。有一位叫海伦的年轻女士，她和双胞胎姐姐、继父一起住在乡下一座老宅子里。两年前，姐姐在婚礼前夕离奇死亡，死前曾听到可怕的口哨声，还看到了一条带斑点的带子。如今，海伦也听到了一模一样的口哨声。惊慌失措之下，她来到贝克街找福尔摩斯求助……

这天早上，华生迷迷糊糊地睁开眼睛，惊讶地发现床头有个熟悉而高大的身影——正是穿戴整齐的福尔摩斯！华生连忙看了一眼时间，早上七点十五分。他忍不住揉了揉眼睛，问："福尔摩斯，你不是一向起得很晚吗，今天怎么这么早？"

"是房东太太叫醒了我，我只好也来叫醒你了。"

华生愣了一下，问："怎么了？房子着火了？"

福尔摩斯笑了笑，说："不是，是有客人上门了。这位女士情绪非常激动，吵着一定要见我。我想，在早上七点把我吵醒的案子，一定会是个**有趣的案子**。你不会想错过的。"

华生一下子来了精神。"我确实不想错过！"华生说着，一骨碌从床上爬了起来，很快就穿戴整齐地来到客厅。

一位年轻的女士坐在窗前，她穿着一身黑衣服，戴着厚厚的面纱。福尔摩斯开口招呼道："女士，请到壁炉这里来烤烤火。天气很冷吧？我看你一直在**发抖**。"

她挪到壁炉旁边，低声回答道：“福尔摩斯先生，谢谢您的好意，但我并不是因为冷才发抖的。我只是觉得……很害怕。”她的声音颤抖了一下，接着，她掀开面纱，露出一张苍白而憔悴的面孔，两只大眼睛**惊恐不安**，像是正在被猛兽追逐的动物。从她的身材和样貌来看，她大约三十岁，可是已经有了白头发，整个人看起来非常憔悴。

福尔摩斯安慰地拍了拍她的手臂，说：“到了我这里，你就不用害怕了，把令你感到**恐惧**的事情大胆地说出来吧。”

年轻女士轻轻叹了一口气，说：“我不知道您会不会相信我说的……听起来好像是我多心，疑神疑鬼。”

福尔摩斯坐了下来，平静地说：“我不觉得仅仅是因为疑神疑鬼，就能让一位女士一大早就坐上单座双轮马车，在泥泞的道路上一路颠簸，然后又转乘火车到伦敦来找我。”

年轻女士吃惊地问道：“您是怎么知道的？”

福尔摩斯笑了笑，说：“这很简单。你左边的袖子上溅了好几个泥点，只有单座双轮马车才会这样甩起泥巴来。而且，你坐在车夫的左边，所以只有左侧衣服上才有泥点。至于火车嘛，你口袋里露出了火车票的一角。”

年轻女士低头看了看自己的衣服，说：“哦，福尔摩斯先生，您说的完全正确。我从别人那里打听到您的地址之后，今天早晨六点就离开家，赶往火车站了。我实在不知道，除了您，我还能向谁**求助**……”她好像有点儿难为情。“很抱歉，我现在没有足够的钱给您，但等我结婚之后，就会有自己的财产。我一定会好好回报您的。”

福尔摩斯摇了摇头，说：“女士，我一直把工作当成一种乐趣，对于酬劳我并不在意，你到时随便给多少都行。现在还是先把你遇到的麻烦事详细说说吧。”

年轻女士深吸了一口气，点了点头，说：“我叫海伦，我有一个双胞胎姐姐，叫朱莉娅。我们的亲生父亲是一位驻扎在印度的军官，他很早就去世了。我和姐姐一直生活在印度，直到我两岁那年，我的母亲嫁给了我的**继父**——罗伊洛特医生。他来自英国一个古老的贵族家庭，但家族早已没落，资产只剩乡下一座有两百年历史的老宅子。

“我们跟着他从印度回到英国，住在那座老宅子里。八年前，母亲也去世了。其实，我的母亲有不少财产，她投资的项目每年都会有大约一千英镑的收入。根据她的**遗嘱**，这笔财产留给了继父，但有一个要求，就是在我们姐妹俩结婚之后，继父要分一部分钱财给我们。

“不知为什么，回到英国之后，继父的脾气变得非常暴躁，他总是和邻居们吵架，有时还大打出手。村里的人都讨厌他，警察也不待见他。他只喜欢那些**印度的动物**。他养了一头印度猎豹，还有一只狒狒，任由它们在屋前屋后跑来跑去，谁见了都害怕。我们俩在这样压抑的环境里煎熬着，直到……”

海伦的声音颤抖着，她哽咽了一下。福尔摩斯用温暖的眼神鼓励她继续说下去。

“直到两年前，我唯一的姐姐去世了。”

福尔摩斯的表情一下凝重起来，他问道：“当时发生了什么？请你详细地说一下吧。”

“是这样的。两年前，我姐姐朱莉娅去姨妈家做客时，认识了一位军官，两人相爱并订婚了。事情就发生在他们**婚礼**前的两个星期。那天晚上，继父早早就回到了自己的房间。过了一会儿，姐姐来找我，说她被继父房间里飘来的烟味呛得睡不着觉。”

“稍等一下。”福尔摩斯突然打断了海伦，“你们的房间是怎么设置的？”

“是在**同一条走廊上的**三个房间，继父那间在左边，我的在右边，姐姐那间在中间。”

“好了，你继续说吧。”

海伦咽了一下口水，接着往下讲。

当时，她和姐姐聊了一会儿天，说到了即将到来的婚礼。晚上十一点，姐姐要回去睡觉了，临走前，她在门口转过身来，问了海伦一个奇怪的问题：“妹妹，你最近在夜里有没有听到**口哨声**？”

海伦愣愣地摇了摇头，说：“没有啊。”

姐姐皱着眉说：“那就奇怪了，这几天凌晨三点左右，我总能听到有人吹口哨。”

海伦踮起脚往窗外看了看，说：“我睡得比较沉，什么也没听到。会不会是外面那些**吉卜赛人**啊？”吉卜赛人居无定所，四处流浪，经常被怀疑是罪犯，所以不太招人待见，但姐妹俩的继父总是收留那些人，让他们在自己的庄园里过夜。

“也有可能。”朱莉娅的表情放松了一些，她挥了挥手就

离开了。不一会儿，只听咔嗒一声，海伦听见姐姐锁上了门。由于继父养了印度猎豹，姐妹俩睡觉前总会把房门锁好。

天越来越黑，外面下起了暴雨。雨点噼里啪啦地打在窗户上。海伦翻来覆去，怎么也睡不着。突然，隔壁房间里传来一声惊恐的尖叫声。是姐姐朱莉娅的声音！海伦一下从床上跳了下来，披上一块披肩就冲了出去。就在这时，她仿佛听到了一声轻轻的**口哨声**，还有**哐当一声**，像是金属撞击的声音。

海伦跑到走廊上，发现姐姐的房门敞开着。紧接着，朱莉娅像喝醉了酒一样，**跌跌撞撞**地走了出来。她的脸色苍白得像一张白纸。海伦连忙冲上去扶住她，朱莉娅却身子一歪，倒在了地上，痛苦地呻吟着、翻滚着。

“姐姐！姐姐！”海伦跪在地上，惊慌失措地抱住她。朱莉娅突然直愣愣地举起一只手，指着继父的房间，凄惨地尖叫道："带子，是那条**带斑点的带子**！"然后，她两眼一翻，昏了过去。

继父听到动静，匆匆忙忙地跑出来，给朱莉娅灌了些白酒，又跑出去请来了医生。然而，当医生赶到时，可怜的朱莉娅已经停止了呼吸。

随后赶来的警察认真地勘查了现场，奇怪的是，朱莉娅身上**没有任何伤痕**。卧室的门窗都从里面锁得死死的，四面墙壁非常牢固，地板下也没有暗道，就连头顶的大烟囱都被四个大铁环牢牢锁着。他们没有发现任何有人曾经在事发当晚潜入朱莉娅的房间的迹象，最后只好认定她是受到了什么刺激，身体虚弱而死的。

听完海伦的讲述，福尔摩斯眉头紧锁。"海伦小姐，你认为你姐姐死前说的那句'带斑点的带子'，究竟是什么意思呢？"福尔摩斯问道。

"我不知道，或许，她指的是外面那些流浪的吉卜赛人。有些吉卜赛人头上会戴着有斑点图案的**头巾**。"

福尔摩斯没有点头，也没有摇头。他继续问道："海伦小姐，我猜你今天来找我，不只是为了两年前的案子吧？"

"你说的没错，福尔摩斯先生。"海伦深吸了一口气说，"就在昨天晚上……我也听到了姐姐死前提过的**口哨声**。”

福尔摩斯坐直了身子，眼神瞬间变得锐利起来，问：“你最近的生活和之前有什么不同吗？”

“如果一定要说，那就是我一个月前和一位先生订了婚，我们俩很快就会结婚。前两天，我们老宅子的一些房间在进行修缮，我的卧室也被钻了几个洞，所以我只好暂时搬到姐姐之前的卧室睡觉。昨晚我就是在那间房里听到了口哨声。”

“然后你今早就来找我了，这是个**明智的决定**。”福尔摩斯托着下巴，两眼盯着壁炉沉思了一会儿，缓缓说道，“这个案子十分复杂，我需要更多信息。海伦小姐，如果我们今

天去你家调查，会不会遇到你继父？”

“他在城里办事，今天一天都不在家。我可以带你们进去调查。”

福尔摩斯的眉头略微舒展开了，他说道：“那太好了，我和华生下午就过去。你要不要留下和我们一起吃早餐？”

“不，我得走了。”海伦把自己家的地址写给福尔摩斯，然后戴上面纱，悄无声息地走出了房间。

福尔摩斯往椅子上一靠，问：“华生，你怎么看这个案子？”

华生尝试着**推理**：“我注意到，两姐妹听到口哨声都是在结婚之前，会不会是她们的继父为了阻止她们结婚，所以杀了朱莉娅，现在又打算害死海伦？毕竟，根据她们母亲的遗嘱，一旦女儿结婚，他就必须把一部分遗产分给她们。”

福尔摩斯赞赏地点了点头，说：“华生，你的推理水平真是大有长进！不过，我现在搞不清楚的是，他究竟是用什么**手段**害死了朱莉娅。口哨声、斑点带子，究竟指的是什么呢？难道真是吉卜赛人？恐怕没这么简单……”

眼看福尔摩斯又要陷入沉思了，突然，门外传来砰的一声巨响。一个**彪形大汉**撞开大门，闯了进来。他身上穿着礼服，脚下却蹬着一双有绑腿的高筒靴，手里还拿着一根打猎的鞭子。这副模样，既像是专家，又像是庄稼汉。他的个头非常大，光是站在那里，就把门口整个儿堵住了，黑色的大礼帽几乎顶到了门框上。他的脸上布满了皱纹，眼中射出邪恶的光芒，他凶狠地喊道："哪个是福尔摩斯？"

福尔摩斯平静地站了起来，说："我就是，你又是哪位？"

"我是海伦的父亲，罗伊洛特医生。"老医生瞪着眼睛，大跨步走进房间，吼道，"福尔摩斯，我早就听说过你了。我女儿刚刚在你这里说了什么？我警告你，不要多管闲事！"

"什么也没说。"福尔摩斯看起来十分镇定，"倒是你，要是没做亏心事，为什么偷偷**跟踪**自己的女儿？"

"我和我女儿的事用不着你管！"老医生咆哮一声，突然上前几步，抓起壁炉前的烧火棍，大手一掰就把它掰弯了，当啷一声丢在地上。“听好了，敢掺和我们家的事，这就是你的下场！”说完狠话，他头也不回地离开了。

“真可惜，他要是再多留几分钟就好了。”福尔摩斯捡回被掰弯的烧火棍，使劲一掰，又把它掰直了过来，若无其事地放回原处。“那样他就会发现，我的手劲一点儿也不比他小。”福尔摩斯冷冷地说。

然后，他转身看向华生，愉快地说：“好了，华生，我们吃早饭吧。上午还要先在城里调查一些情况呢。”

福尔摩斯想办法查到了海伦母亲的遗嘱，并了解到她之前的投资项目。现在估算起来，这笔投资每年还能有七百五十英镑的收入。也就是说，如果两个女儿顺利结婚，每个人都有权领走二百五十英镑。这样一来，留给她们继父的钱就少得多了。

“我相信，这个理由足够让脾气暴躁的罗伊洛特医生杀人。我们得赶紧行动了。华生，最好带上你的**手枪**，以防万一。”

福尔摩斯和华生坐火车来到了乡下。海伦小姐早就等得望眼欲穿了，见到他们，立刻兴奋地迎了上来。福尔摩斯告诉她，她的继父其实一直在跟踪她。海伦小姐吓得浑身发抖，过了好一会儿才镇定下来，带着他们来到了自己家里。

海伦家的老宅子，看起来果然是年代久远，墙上长满了青苔。房子是用灰石头砌成的，中间高高耸立着，两边是弧形的侧房，看起来像一对**蟹钳**似的。房子的左半边完全荒废了，窗户破破烂烂的，房顶也塌了一部分。右半边还能住人，那里有三个房间，就是继父、姐姐和海伦的卧室。卧室的门朝着走廊，窗户对着外面的草坪。

“海伦小姐，现在请你回屋去，从里面把窗户锁死吧。”

海伦照办了，福尔摩斯趴在窗户外面，用尽各种办法，想把窗户弄开。但是，厚重的百叶窗连插入一把薄薄刀片的缝隙也找不到。福尔摩斯苦恼地皱起了眉说：“看来我原来的推理完全错了。我原以为会是**吉卜赛人**透过窗户的缝隙，用工具把里面的插销打开，现在看起来，根本做不到。”

他从窗台上跳了下来，说：“走吧，华生，我们进去看看。”

姐姐朱莉娅的卧室在三个房间的中间，里面看起来十分俭朴：几件简单的家具，陈旧的木地板。福尔摩斯站在房间一角，眼睛上上下下、前前后后地环视，观察着屋里的每一个细节。突然，他指着床头的**一根绳子**问道：“这绳子是通到哪里的？”

海伦看了一眼，说：“哦，是通往管家房间的。这头一拉绳子，那头就会响。”

“是新装上的吗？你姐姐用过吗？”

“是两年前装上的，我姐姐没用过这个，她想要什么东西总是自己动手。”

福尔摩斯拉过一把椅子，站了上去，仔细观察着绳子。突然，他惊讶地叫了一声：“啊！看来这根绳子只是个**摆设**，它根本没有连到别的房间，而是挂在通风口旁边的一个钩子上……等等，这个通风口居然是通往隔壁房间的，这样怎么能通风呢？”

海伦回想了一下，说：“我记得那个通风口也是两年前才装的，和这根绳子一起。”

福尔摩斯跳了下来，脸上露出发现了线索的愉快表情。“谢谢你，现在带我们去罗伊洛特医生的房间看看吧。”

老医生屋里堆着不少杂物，墙角有一个保险柜，床头挂着一根细小的**鞭子**，鞭子的前端还打了个活结。福尔摩斯用手指铛铛敲了两下保险柜，又从上面拿起一个**小碟子**，里面还剩了一点儿牛奶。

“我记得医生养了一头猎豹、一只狒狒，没有养猫吧？”

海伦摇了摇头。福尔摩斯放下碟子，说：“这小碟子只能装这么点儿食物，怕是不够猎豹或是狒狒吃的吧？”他脸上露出一个神秘的笑容，等他转向海伦时，表情又变得十分严肃。“海伦小姐，你想**脱离危险**，就必须完全按我说的做。”

海伦屏住了呼吸，眼睛一眨不眨地盯着福尔摩斯。

大侦探说道：“首先，等你继父回来之后，你要假装头疼，把自己关在卧室里。等确认他睡着后，你就打开窗户，把一盏灯摆在窗台上。然后，你带上自己的随身物品，悄悄搬出这间卧室，回你原来的房间去。那间房虽然在装修，但看上去还是能住人的。”

海伦点了点头，问：“那么，福尔摩斯先生，您和华生医生今晚要做什么呢？”

福尔摩斯回答道：“我们今晚会待在你姐姐的卧室里，查出害死她的**真凶**。”

福尔摩斯和华生告别了海伦，住进了当地的一家旅店里，他们选的房间正好可以看到海伦家的窗户。太阳渐渐西沉，很快，夜幕降临了。华生忍不住问道：“福尔摩斯，既然你已经猜到真相了，那就别卖关子了！”

福尔摩斯神秘地说：“现在还不能告诉你，不过，我可以提醒你注意一个细节。那间卧室的床是被螺丝钉固定在地板上的，没法移动。”

“可是，这又能说明什么呢？”

“那根不起作用的绳子，一头拴在通气孔旁边的钩子上，另一头刚好落在床上。”

华生茫然地眨了眨眼睛。福尔摩斯却不肯再解释了：“你想不出来也没关系，反正我们今晚就能揭开真相了。”

晚上十一点，海伦姐姐的卧室窗口亮起了一盏灯。福尔摩斯**一跃而起**，拉上华生急匆匆地赶了过去。那扇窗户敞开着，他们俩小心翼翼地钻了进去。海伦小姐不在这里，看来她已经按照福尔摩斯的叮嘱，搬到隔壁自己的房间去了。

福尔摩斯握着一根鞭子，**蹑手蹑脚**地走到华生身边，凑到他耳边说：“别出声，不然很可能会被他发现。”

华生点了点头。福尔摩斯又说：“把**手枪**拿出来，千万别睡着，我要把灯吹灭了。”

华生连忙拿出手枪。福尔摩斯准备了一盒火柴和一截蜡烛。紧接着，灯被吹灭了，四周顿时漆黑一片。在伸手不见五指的黑暗中，华生屏住呼吸，紧张地等待着。窗外一片寂静，偶尔传来猫头鹰的“怪笑”声、印度猎豹的咆哮声，还有远处教堂敲钟报时的声音。十二点过去了，然后是凌晨一点、两点、三点……

突然，墙上的**通风口**里射进来一束灯光，看来是隔壁的老医生起床了。华生猛地警惕起来，他竖起耳朵，好像听见了什么东西轻轻移动的声音。

福尔摩斯瞬间跳了起来，划燃一根火柴，举起鞭子**狠狠鞭打着**床头的绳子。火柴亮光映照着他苍白的脸，上面写满了强烈的厌恶感。然后，他停下鞭打，喘了一口气，说："华生，你刚才看见了没有？"

华生咽了咽口水，说："我……我什么都没看见。"

就在这时，隔壁医生的房间里传来痛苦的尖叫声。福尔摩斯一把拉起华生，跑到隔壁，推开门冲了进去。医生的房间里一片亮堂，保险柜的柜门敞开着，罗伊洛特医生一动不动地坐在椅子上，他的身上趴着一条**黄色带斑点的蛇**。

福尔摩斯语气沉重地说："这就是海伦姐姐说的斑点带子，其实，它是印度最毒的**毒蛇**。罗伊洛特医生没救了。"福尔摩斯拿起床头的鞭子，用活结套住蛇的身子，飞快地把它丢进保险柜里，又哐当一声关上了柜门。

他们叫来警察，处理了老医生的后事。海伦小姐吓坏了，福尔摩斯和华生好心安慰了她，把她送到了姨妈家里。在返回伦敦的路上，福尔摩斯把这个离奇案件的真相原原本本和华生讲了一遍。

“我之前还以为姐姐朱莉娅是被吉卜赛人害死的。可是，勘查现场之后，我发现那间卧室很难从外面进入。我只好重新思考**斑点带子**可能代表什么。就在这时，我在朱莉娅的卧室里发现了毫无用处的绳子和通风口。我一下就想到，这种布置会不会是为了让什么东西从通风口爬进房间呢？”

华生恍然大悟道：“对啊，罗伊洛特医生养了不少印度动物，他很有可能养了……一条蛇！”

福尔摩斯点了点头，说："所以，我又查看了老医生的房间，看到放牛奶的碟子、床头打了活结的鞭子，我已经可以确定，他就是用一条毒蛇害死朱莉娅的。蛇咬的伤口极小，朱莉娅的验尸官根本没有发现。"

"等等，那朱莉娅和海伦听到的口哨声，还有哐当的声音，又是怎么回事呢？"

"口哨声是他呼唤毒蛇的**信号**，因为他的房间和茱莉娅的房间之间有一个通风口，所以，茱莉娅能听到微弱的口哨声，海伦却很可能听不到。至于那哐当一声，我看到保险柜就明白了。"

"你是说……"华生的眼睛猛地一亮，"他平时把蛇养在保险柜里，碟子里的牛奶就是蛇的食物。害死朱莉娅之后，他连忙吹口哨把蛇叫回来，锁进去。海伦听到的哐当声就是罗伊洛特医生关保险柜柜门的声音！"

"没错。我在黑暗里听见**咝咝声**，赶紧划燃火柴。我看到一条毒蛇正沿着绳子往下爬，就给了它几鞭子。它顺着通风口又爬了回去，大概是被我打急了，狠狠咬了自己的主人。这样说来，其实是我害死了罗伊洛特医生，但说实话，对他这样的罪犯，我心里一点儿也不觉得愧疚。"

Sherlock Holmes

小侦探挑战赛

观察能力测试

亲爱的小朋友，看书累了吧？来做个小游戏吧，跟你的同学们比一比，看看谁的观察能力更厉害！

案件描述

真相

郊外的一栋房子里发生了一起凶案。被害人 V.W. 被一把剑刺中身亡，那把凶器就落在一旁的地板上。被害人的家属说，发生凶案的当晚，家里其他人都到乡下亲戚家度假去了，只留下被害人一人在家。屋里的贵重物品并没有丢失，不像是谋财害命。

福尔摩斯到现场仔细勘查了一番，对华生说：“我已经掌握了凶手的一些线索。”

同学们，如果你是福尔摩斯，勘查现场后，你能看出什么？你知道该怎么找出凶手吗？

答案揭晓

1 地上的手帕上绣着大写字母“L.S.”，很可能是凶手名字首字母的缩写。

2 桌上有两个酒杯，说明凶手和被害人应该是熟人。

3 凶器是地上的剑，跟墙上挂的两把剑一模一样，且墙上有一个挂剑的位置空着，说明凶手是临时起的杀心，随手拿了一把墙上的剑当武器，而不是有预谋的。凶器在墙上挂得比较高，说明凶手是个高个子。

4 置物架上积满了灰尘，但有个方形的空位处没有灰尘，说明凶手很可能拿走了置物架上的某样东西，他杀死被害人可能跟这样东西有关。（被害人的家属说家里没有丢失贵重物品，所以凶手拿走的可能是跟他和被害人都有关系的某样东西。）

所以，寻找凶手的两个关键方向如下：1. 在被害人的熟人中找一个名字首字母的缩写是L.S. 的高个子的人；2. 找出置物架上到底少了什么，再顺藤摸瓜查出凶手的杀人动机。

大侦探福尔摩斯

图书在版编目（CIP）数据

大侦探福尔摩斯．冒险史/（英）柯南·道尔（Arthur Conan Doyle）著；喵博士改编．—南京：译林出版社，2022.4（2022.6重印）

ISBN 978-7-5447-8991-2

Ⅰ.①大… Ⅱ.①柯… ②喵… Ⅲ.①侦探小说－小说集－英国－现代 Ⅳ.①I561.45

中国版本图书馆CIP数据核字（2021）第260736号

大侦探福尔摩斯：冒险史［英国］柯南·道尔 / 著
喵博士 / 改编

策　　划　彭　波　龚文宇
本册撰写　何　敏　冯　帆　陈自萍
责任编辑　朱旭玲
装帧设计　宸唐工作室
校　　对　王　敏　戴小娥
插　　图　妙象童画
责任印制　颜　亮

出版发行　译林出版社
地　　址　南京市湖南路1号A楼
邮　　箱　yilin@yilin.com
网　　址　www.yilin.com
市场热线　025-86633278
排　　版　宸唐工作室
印　　刷　南京新世纪联盟印务有限公司
开　　本　890毫米×1240毫米　1/32
印　　张　4.25
版　　次　2022年4月第1版
印　　次　2022年6月第3次印刷
书　　号　ISBN 978-7-5447-8991-2
定　　价　28.00元

SHERLOCK HOLMES